Histórias de horror

Doyle, Arthur Conan, 1859-1930

Tradução de Maria Luiza X. de A. Borges

São Paulo: Novo Século, 2020

Ficção escocesa

Traduzido a partir do original disponível no Project Gutenberg

Copyright © 2020 by Novo Século Editora Ltda.

COORDENAÇÃO EDITORIAL & EDIÇÃO DE ARTE: Jacob Paes
TRADUÇÃO: Maria Luiza X. de A. Borges
PREPARAÇÃO: Luiz Pereira
REVISÃO: Gabriela Rocha / Equipe Novo Século

Texto de acordo com as normas do Novo Acordo Ortográfico da Língua Portuguesa (1990), em vigor desde 1º de janeiro de 2009.

Histórias de horror

Dados Internacionais de Catalogação na Publicação (CIP)

Doyle, Arthur Conan, 1859-1930
Histórias de horror
Arthur Conan Doyle ; tradução de Maria Luiza X. de A. Borges
Barueri, SP : Novo Século Editora, 2020.

1. Ficção escocesa I. Título II. Borges, Maria Luiza X. de A.

20-1410 CDD E823

Índices para catálogo sistemático:
1. Ficção escocesa E823

Alameda Araguaia, 2190 - Bloco A - 11º andar - Conjunto 1111
CEP 06455-000 - Alphaville Industrial, Barueri - SP - Brasil
Tel.: (11) 3699-7107 | E-mail: atendimento@gruponovoseculo.com.br
www.gruponovoseculo.com.br

SUMÁRIO

O caso de lady Sannox
5

A nova catacumba
19

O gato brasileiro
39

O funil de couro
65

O terror da Fenda de Blue John
81

O horror das alturas
105

O caso de lady Sannox

1893

A relação entre Douglas Stone e a notória lady Sannox era bem conhecida tanto entre os elegantes círculos dos quais ela era um membro brilhante quanto entre os organismos científicos que o contavam entre seus mais ilustres confrades. Naturalmente, houve, portanto, um interesse muito difundido quando foi anunciado numa manhã que a senhora tinha absolutamente e para sempre tomado o véu, e que o mundo não a veria mais. Quando, no rastro desse rumor, veio a afirmação de que o célebre cirurgião, o homem de nervos de aço, tinha sido encontrado de manhã por seu criado, sentado num lado de sua cama, sorrindo agradavelmente para o universo, com ambas as pernas emperradas num dos lados de suas calças e com seu excelente cérebro tão valioso quanto um bojo cheio de mingau, o assunto foi forte o suficiente para despertar um pouco de interesse em gente que nunca esperara que os nervos embotados de Stone fossem capazes de emitir tal sensação.

Douglas Stone em seu apogeu foi um dos homens mais notáveis da Inglaterra. Na verdade, dificilmente poderia ser dito que ele realmente chegou a seu apogeu, pois tinha 39 anos por ocasião deste pequeno incidente. Os que o conheciam melhor estavam cientes de que, por mais famoso que fosse como cirurgião, ele poderia ter alcançado o sucesso com ainda maior rapidez em qualquer de uma dúzia de carreiras. Poderia ter obtido a glória como soldado, brigado com ela como explorador, intimidado nas cortes em busca dela ou a ter construído a ferro e pedra como um engenheiro. Nascera para ser grande, pois podia planejar o que outros homens não ousam, e podia fazer o que um outro homem não ousa planejar. Em cirurgia, ninguém podia acompanhá-lo. Sua coragem, seu julgamento, sua intuição, eram coisas à parte. Muitas e muitas vezes sua faca arrancava a morte, mas roçava as próprias fontes da vida ao fazê-lo, até que seus assistentes ficassem tão brancos quanto o paciente. Sua energia, sua audácia, sua vigorosa autoconfiança — a memória dessas coisas não subsiste ainda ao sul de Marylebone Road e ao norte da Oxford Street?

Seus vícios eram tão magníficos quanto suas virtudes, e infinitamente mais pitorescos. Por maior que fosse sua renda, e era a terceira maior de todos os profissionais de Londres, ela ficava muito abaixo do luxo de sua vida. No fundo de sua natureza complexa encontrava-se uma rica veia de sensualidade, em cujo divertimento ele colocava todos os prêmios de sua vida. O olho, o ouvido, o tato, o paladar, todos eram seus senhores. O buquê de velhas safras de vinho, o perfume de exotismos raros, as curvas e os matizes das mais deliciosas cerâmicas da Europa, era nessas coisas que a rápida torrente de ouro era transformada. E então veio sua súbita e louca paixão por lady Sannox, quando um único encontro com dois olhares desafiadores e uma palavra sussurrada o puseram em chamas. Ela era a mulher mais bela de Londres e a única para ele. Ele era um dos homens mais bonitos de Londres, mas não o único para ela. Ela gostava de novas experiências, e era amável com a maioria dos homens que a cortejavam. Talvez fosse a causa disso, ou talvez fosse o efeito, que lorde Sannox parecesse ter cinquenta anos, quando tinha apenas 36.

Era um homem tranquilo, silencioso, de cores neutras, esse lorde, com lábios finos e pálpebras pesadas, muito dado à jardinagem e cheio de hábitos caseiros. Tinha em certa época gostado de atuar, e chegara a alugar um teatro em Londres, e sobre suas tábuas tinha visto pela primeira vez a srta. Marion Dawson, a quem havia oferecido a sua mão, seu título e um terço de um condado. Desde de seu casamento, seu antigo hobby se tornara desagradável para ele. Mesmo em encenações privadas não era mais possível convencê-lo a exercer o talento que tantas vezes demonstrara possuir. Ele era mais feliz com uma pá e um regador em meio a suas orquídeas e crisântemos.

Era um problema muito interessante determinar se ele era absolutamente desprovido de bom senso ou miseravelmente carente de espírito. Acaso conhecia os hábitos de sua dama e os tolerava, ou era um mero tolo cego e apaixonado? Era uma questão a discutir enquanto se sorviam xícaras de chá em pequenas salas de estar aconchegantes, ou com a ajuda de um charuto nas janelas salientes dos clubes. Os comentários sobre sua conduta entre os homens eram cortantes e claros. Havia apenas um que tinha uma boa palavra a dizer em seu favor, e ele era o membro mais silencioso na sala de fumantes. Ele o vira domar um cavalo na universidade, e isso parecia ter deixado uma impressão em sua mente.

Mas quando Douglas Stone tornou-se o favorito, todas as dúvidas quanto ao conhecimento ou ignorância de lorde Sannox foram dissipadas para sempre. Não havia nenhum subterfúgio em Stone. À sua maneira autoritária e impetuosa, ele desafiava toda cautela e discrição. O escândalo tornou-se notório. Uma entidade erudita sugeriu que seu nome fosse eliminado da lista de seus vice-presidentes. Dois amigos lhe imploraram que considerasse sua reputação profissional. Ele amaldiçoou todos os três, e gastou quarenta guinéus numa pulseira para levar consigo para a dama. Ele ia à casa dela todas as noites e ela passeava na carruagem dele durante as tardes. Não havia qualquer tentativa de nenhum dos lados de esconder suas relações, mas ocorreu finalmente um pequeno incidente para interrompê-las.

Era uma melancólica noite de inverno, muito fria e tempestuosa, com o vento uivando nas chaminés e soprando contra as vidraças. Um fino salpico de chuva retinia sobre o vidro a cada novo golpe de vento, afogando por um instante o surdo gorgolejo e gotejamento dos beirais. Douglas Stone havia terminado seu jantar e estava sentado ao lado de sua lareira no gabinete, um copo de rico porto sobre a mesa de malaquita junto a seu cotovelo. Ao levá-lo aos lábios, ele o segurou contra a luz da lâmpada e observou com o olho de um *connaisseur* as pequeninas escamas de tártaro que flutuavam em suas ricas profundezas de rubi. O fogo, ao estalar, lançava luzes intermitentes sobre seu rosto escanhoado e bem definido, com seus olhos cinza amplamente abertos, seus lábios grossos, mas firmes, e o queixo profundo e quadrado, que tinha algo de romano em sua força e em seu animalismo. Ele sorria de vez em quando, enquanto se refestelava em sua luxuosa poltrona. De fato, tinha o direito de se sentir satisfeito pois, contra o conselho de seis colegas, tinha realizado uma operação naquele dia da qual só dois casos haviam sido registrados, e o resultado fora brilhante, superando todas as expectativas. Nenhum outro homem em Londres teria tido a audácia de planejar, ou habilidade para executar, tão heroica medida.

Mas ele prometera a lady Sannox vê-la naquela noite, e já eram quase oito e meia. Sua mão estava estendida para a campainha para pedir a carruagem quando ouviu o golpe surdo de uma aldrava. Um instante depois houve um arrastar de pés no vestíbulo e o ruído claro de uma porta que se fechava.

"Um paciente para vê-lo, senhor, no consultório", disse o mordomo.

"Sobre ele mesmo?"

"Não, senhor, penso que ele quer que o acompanhe."

"Está tarde demais", exclamou Douglas Stone com irritação. "Não irei."

"Aqui está o cartão dele, senhor."

O mordomo apresentou-o sobre a bandeja de ouro que fora dada a seu patrão pela esposa de um primeiro-ministro.

"'Hamil Ali, Esmirna'. Hum! O sujeito é um turco, suponho."

"Sim, senhor. Parece que veio do estrangeiro. E está num estado terrível."

"Ora! Tenho um compromisso. Devo ir a um outro lugar. Mas vou vê-lo. Traga-o aqui, Pim."

Momentos mais tarde, o mordomo abriu a porta e introduziu um homenzinho decrépito, que andava com as costas arqueadas e com o rosto empurrado para a frente e o piscar dos olhos que acompanham a miopia extrema. Seu rosto era moreno, e o cabelo e a barba eram do negro mais escuro. Numa das mãos, ele segurava um turbante de musselina branca listrada de vermelho, na outra, um pequeno saco de camurça.

"Boa noite", disse Douglas Stone, depois que o mordomo fechou a porta. "O senhor fala inglês, presumo?"

"Sim, senhor. Sou da Ásia Menor, mas falo inglês quando falo devagar."

"O senhor queria que eu o acompanhasse, pelo que entendi?"

"Sim, senhor. Eu queria muito que o senhor fosse ver a minha esposa."

"Eu poderia ir amanhã de manhã, pois tenho um compromisso que me impede de vê-la esta noite."

A resposta do turco foi singular. Ele puxou o barbante que fechava a boca do saco de camurça e derramou um monte de ouro sobre a mesa.

"Há cem libras aí", disse, "e eu lhe prometo que isso não lhe tomará uma hora. Tenho um cabriolé pronto à porta."

Douglas Stone deu uma olhada em seu relógio. Uma hora depois não seria tarde demais para visitar lady Sannox. Ele já estivera lá mais tarde. E os honorários eram extraordinariamente elevados. Havia sido pressionado por seus credores ultimamente, e não podia se permitir deixar uma chance como aquela escapar. Iria.

"Qual é o caso?", perguntou.

"Oh, é um caso tão triste! O senhor não ouviu falar, talvez, das adagas dos almôadas?"

"Nunca."

"Ah, são adagas orientais muito antigas e de um formato singular, com o punho como o que os senhores chamam de estribo. Sou um comerciante de curiosidades, o senhor entende, e foi por isso que vim de Esmirna para a Inglaterra, mas na próxima semana volto mais uma vez. Trouxe muitas coisas comigo, e tenho algumas que restaram, mas, entre elas, para minha tristeza, está uma dessas adagas."

"Deve se lembrar de que tenho um compromisso, senhor", disse o cirurgião, com alguma irritação; "por favor, limite-se aos detalhes necessários."

"O senhor verá que é necessário. Hoje minha mulher caiu num desmaio no quarto onde guardo minhas mercadorias, e cortou o lábio inferior sobre essa maldita adaga dos almôadas."

"Entendo", disse Douglas Stone, levantando-se. "E o senhor quer que eu faça um curativo no ferimento?"

"Não, não, é pior do que isso."

"O que, então?"

"Essas adagas são envenenadas."

"Envenenadas?"

"Sim, e não há homem algum, no Oriente ou no Ocidente, que possa dizer agora qual é o veneno ou qual é a cura. Mas tudo que se sabe eu sei, porque meu pai estava neste ofício antes de mim, e lidamos muito com essas armas envenenadas."

"Quais são os sintomas?"

"Sono profundo, e morte em trinta horas."

"E o senhor diz que não há cura. Por que então me pagaria esses consideráveis honorários?"

"Nenhum medicamento pode curar, mas a faca pode."

"E como?"

"O veneno é de absorção lenta. Permanece por horas no ferimento."

"Uma lavagem, então, poderia limpá-lo?"

"Não mais do que numa picada de cobra. É demasiado sutil e mortal."

"Excisão do ferimento, então?"

"É isso. Se ele for no dedo, corte fora o dedo. Era o que meu pai sempre dizia. Mas pense em onde está esse ferimento, e que se trata da minha mulher. É terrível!"

Mas a familiaridade com esses assuntos horríveis pode falar mais alto que a compaixão de um homem. Para Douglas Stone, esse já era um caso interessante, e ele deixou de lado como irrelevantes as fracas objeções do marido.

"Parece que é isso ou nada", disse bruscamente. "É melhor perder um lábio que uma vida."

"Ah, sim, sei que o senhor está certo. Bem, bem, é o destino, e ele deve ser encarado. Tenho o cabriolé, e o senhor virá comigo e fará isso."

Douglas Stone tirou seu estojo de bisturis de uma gaveta e colocou-o no bolso junto com um rolo de atadura e uma compressa de gaze. Não devia perder mais tempo se quisesse ver lady Sannox.

"Estou pronto", disse, vestindo seu sobretudo. "O senhor gostaria de tomar um copo de vinho antes de sair nesse ar frio?"

Seu visitante se esquivou, com a mão levantada em protesto.

O caso de lady Sannox

"O senhor esquece que sou um muçulmano, e um fiel seguidor do Profeta", disse ele. "Mas diga-me, que é o frasco de vidro verde que pôs no seu bolso?"

"É clorofórmio."

"Ah, isso também é proibido para nós. É um destilado, e não usamos essas coisas."

"O quê? O senhor permitiria que sua mulher fosse submetida a uma operação sem anestésico?"

"Ah! Ela não sentirá nada, pobre alma. O sono profundo, que é o primeiro efeito do veneno, já chegou. E além disso eu lhe dei nosso ópio de Esmirna. Vamos, senhor, pois uma hora já se passou."

Quando eles saíram para a escuridão, uma lâmina de chuva lhes caiu sobre os rostos, e a lâmpada do vestíbulo, que pendia do braço de uma Cariátide de mármore, apagou-se com uma felpa. Pim, o mordomo, empurrou a pesada porta, fazendo força com o ombro contra o vento, enquanto os dois homens se dirigiam às apalpadelas para o clarão amarelo que mostrava onde o cabriolé esperava. Um instante depois eles estavam chocalhando em sua viagem.

"É longe?", perguntou Douglas Stone.

"Oh, não. Temos um lugarzinho muito tranquilo perto da Euston Road."

O cirurgião pressionou a mola de seu relógio de repetição e ouviu os pequenos tinidos que lhe diziam a hora. Eram nove e quinze. Ele calculou as distâncias, e o curto tempo que lhe seria necessário para executar uma operação tão trivial. Tinha de ir ao encontro de lady Sannox até as dez. Através das janelas embaçadas, via passarem as lâmpadas a gás borradas, com ocasionalmente o clarão mais intenso de uma vitrine. A chuva batia com força e matraqueava sobre a capota de couro da carruagem, e as rodas espalhavam água ao rolar por poças e lama. Em frente a ele, o turbante branco de seu companheiro brilhava debilmente através da obscuridade. O cirurgião tateou seus bolsos e arrumou suas agulhas, suas ataduras e seus alfinetes de segurança, para que não houvesse nenhuma perda de tempo quando chegassem. Não cabia em si de impaciência e martelava o pé sobre o piso.

Mas o cabriolé desacelerou finalmente e parou. Num instante, Douglas Stone estava fora, e o comerciante de Esmirna estava nos seus calcanhares.

"Você pode esperar", disse ele ao cocheiro.

Era uma casa de aspecto pobre numa rua estreita e sórdida. O cirurgião, que conhecia bem a sua Londres, lançou um rápido olhar para as sombras, mas não havia nada de notável — nenhuma loja, nenhum movimento, nada senão uma dupla linha de casas opacas, de fachada chata, um duplo trecho de lajes molhadas que brilhavam à luz das lâmpadas e uma dupla torrente de água nas sarjetas que rodopiava e gorgolejava em direção às grades do esgoto. A porta diante deles era manchada e descolorida, e uma débil luz na bandeira acima dela servia para mostrar a poeira e fuligem que a cobria. Acima, numa das janelas do quarto de dormir, havia uma fosca luz amarela. O comerciante bateu com força, e quando ele voltou seu rosto escuro para a luz, Douglas Stone pôde ver que ele estava contraído com ansiedade. Um ferrolho foi puxado, e uma mulher idosa com uma vela postou-se no vão da porta, protegendo a chama fina com sua mão nodosa.

"Está tudo bem?", perguntou o comerciante, ofegante.

"Ela está como a deixou, senhor."

"Não falou?"

"Não, está num sono profundo."

O comerciante fechou a porta, e Douglas Stone percorreu o estreito corredor, olhando a seu redor com surpresa. Não havia oleado, nem capacho, nem cabide para chapéus. Por toda parte se avistavam grossa poeira cinzenta e pesadas grinaldas de teias de aranha. Seguindo a velha pela escada em caracol acima, seu passo firme ecoava com dureza através da casa silenciosa. Não havia tapete.

O quarto era no segundo pavimento. Douglas Stone entrou nele atrás da velha enfermeira, com o comerciante em seus calcanhares. Ali pelo menos havia móveis e de sobra. O assoalho estava juncado deles e havia pilhas nos cantos com armários turcos, mesas marchetadas, blusões de cota de malha, cachimbos estranhos e armas grotescas. Uma única pequena lâmpada estava pousada sobre um suporte na parede. Douglas Stone pegou-a, e procurando um caminho em meio aos trastes, andou até um sofá no canto, sobre o qual estava deitada uma mulher vestida à maneira turca, com *yashmak* e véu. A parte inferior do rosto estava exposta, e o cirurgião viu um corte dentado que ziguezagueava ao longo da borda do lábio inferior.

"O senhor perdoará o *yashmak*", disse o turco. "Conhece nossas ideias sobre as mulheres no Oriente."

Mas o cirurgião não estava pensando no *yashmak*. Aquela não era mais uma mulher para ele. Era um caso. Ele se inclinou e examinou cuidadosamente o ferimento.

"Não há sinais de irritação", disse. "Poderíamos adiar a operação até que sintomas locais se desenvolvam."

O marido torceu as mãos em incontrolável agitação.

"Oh! Senhor, senhor", ele exclamou. "Não brinque. O senhor não sabe. É mortal. Eu sei, e lhe asseguro que uma operação é absolutamente necessária. Só a faca pode salvá-la."

"Ainda assim, estou inclinado a esperar", disse Douglas Stone.

"Já basta", exclamou o turco, furioso. "Cada minuto é importante e não posso ficar aqui parado e ver minha mulher sucumbir. Só me resta agradecer-lhe por ter vindo e chamar algum outro cirurgião antes que seja tarde demais."

Douglas Stone hesitou. Restituir aquelas cem libras não era nada agradável. Mas estava claro que, se ele deixasse o caso, teria de devolver o dinheiro. E se o turco estivesse certo e a mulher morresse, sua posição perante um investigador poderia ser embaraçosa.

"O senhor teve experiência pessoal com esse veneno?", perguntou.

"Tive."

"E o senhor me garante que uma operação é necessária."

"Juro por tudo que considero sagrado."

"A desfiguração será horrorosa."

"Posso compreender que não será uma boca bonita para beijar."

Douglas Stone voltou-se impetuosamente para o homem. A fala era brutal. Mas os turcos têm sua própria maneira de falar e de pensar, e não havia tempo para discutir. Douglas Stone tirou um bisturi de seu estojo, abriu-o e sentiu o aguçado gume reto com o indicador. Depois segurou a lâmpada mais perto da cama. Dois olhos escuros o fitavam através da fenda no *yashmak*. Eles eram só íris, e mal se podia ver a pupila.

"O senhor lhe deu uma dose muito forte de ópio."

"Sim, ela tomou uma boa dose."

Ele olhou de novo para os olhos escuros que fitavam diretamente os seus. Eles estavam opacos e sem brilho, mas, enquanto ele olhava, uma pequena centelha cambiante apareceu neles, e os lábios tremeram.

"Ela não está completamente inconsciente", disse ele.

"Não seria melhor usar a faca enquanto será indolor?"

O mesmo pensamento havia cruzado a mente do cirurgião. Ele agarrou o lábio ferido com seu fórceps, e com dois cortes rápidos cortou fora um grande pedaço em forma de V. A mulher deu um pulo no sofá com um medonho grito gorgolejante. O pano que a cobria foi arrancado de seu rosto. Era um rosto que ele conhecia. Apesar daquele lábio superior protuberante e daquela baba de sangue, era um rosto que ele conhecia. Ela continuou pondo a mão na fenda e gritando. Douglas Stone sentou-se no pé do sofá com sua faca e seu fórceps. A sala estava girando, e ele tinha sentido algo como uma costura se rompendo atrás de sua orelha. Um espectador teria dito que seu rosto era o mais lívido dos dois. Como num sonho, ou como se tivesse estado olhando para alguma coisa na performance, ele estava consciente de que o cabelo e a barba do turco estavam sobre a mesa, e de que lorde Sannox estava apoiado contra a parede com a mão no flanco, sorrindo silenciosamente. Os gritos haviam desapareccido, e a horrível cabeça havia caído de novo no travesseiro, mas Douglas Stone permanecia imóvel, e lorde Sannox ainda ria silenciosamente consigo mesmo.

"Esta operação era realmente muito necessária para Marion", disse ele, "não física, mas moralmente, você sabe, moralmente."

Douglas Stone se inclinou para a frente e começou a brincar com a franja da manta. Sua faca caiu retinindo no chão, mas ele ainda segurava o fórceps e mais alguma coisa.

"Há muito tempo eu pretendia dar um pequeno exemplo", disse lorde Sannox suavemente. "Seu bilhete de quarta-feira extraviou-se, e eu o tenho aqui em minha carteira. Fiz algum esforço para levar a cabo a minha ideia. O ferimento, diga-se de passagem, não foi feito com nada mais perigoso que meu anel de sinete."

Olhou intensamente para seu silencioso companheiro, e engatilhou o pequeno revólver que trazia no bolso do paletó. Mas Douglas Stone continuava manuseando a manta.

"Você vê que cumpriu seu compromisso, afinal de contas", disse lorde Sannox.

Histórias de horror

Ao ouvir isso, Douglas Stone começou a rir. Riu alto e por muito tempo. Mas lorde Sannox não ria agora. Algo semelhante a medo aguçava e endurecia seus traços. Saiu do quarto, andando na ponta dos pés. A velha esperava do lado de fora.

"Cuide de sua amante quando ela acordar", disse lorde Sannox.

Em seguida desceu à rua. O cabriolé estava à porta, e o cocheiro elevou a mão ao chapéu.

"John", disse lorde Sannox, "você levará o médico para casa primeiro. Ele precisará ser conduzido até o térreo, creio. Diga ao mordomo dele que passou mal durante um caso."

"Muito bem, senhor."

"Depois você pode levar lady Sannox para casa."

"E quanto ao senhor?"

"Oh, meu endereço durante os próximos meses será Hotel di Roma, Veneza. Apenas cuide para que as cartas sejam encaminhadas. E diga a Stevens para expor todos os crisântemos roxos na próxima segunda-feira, e me telegrafar o resultado."

A nova catacumba

1898

"uça-me, Burger", disse Kennedy, "desejo realmente que você confie em mim."

Os dois famosos estudiosos de vestígios romanos estavam sentados juntos na confortável sala de Kennedy com vista para o Corso. A noite estava fria e os dois tinham aproximado suas cadeiras da insatisfatória estufa italiana que expelia uma zona mais de abafamento que de calor. Lá fora sob as luminosas estrelas de inverno encontrava-se a Roma moderna, a longa e dupla corrente de lâmpadas elétricas, os cafés brilhantemente iluminados, as carruagens apressadas e a densa multidão nas calçadas. Mas dentro, no suntuoso quarto do rico e jovem arqueólogo inglês, só se podia ver a antiga Roma. Frisas rachadas e gastas pelo tempo pendiam das paredes, velhos bustos cinzentos de senadores e soldados com suas viseiras e seus rostos duros e cruéis espiavam dos cantos. Na mesa de centro, em meio a um punhado de inscrições, fragmentos e ornamentos, encontrava-se a famosa reconstrução feita por Kennedy das Termas de Caracala, que despertou tanto interesse e admiração quando foi exibida em Berlim. Ânforas pendiam do teto, e uma mixórdia de curiosidades salpicava o rico tapete turco vermelho. E de todas elas não havia nenhuma que não fosse da mais incontestável autenticidade, e da máxima raridade e valor; pois Kennedy, embora tivesse pouco mais de trinta anos, tinha uma reputação europeia nesse ramo particular de pesquisa, e era, ademais, possuidor daquela carteira fornida que ou se prova uma desvantagem fatal para as energias do estudioso, ou, se sua mente ainda for fiel a seu propósito, lhe dá uma enorme vantagem na corrida pela fama. Kennedy fora com frequência desviado de seus estudos por capricho e prazer, mas sua mente era incisiva, capaz de esforços longos e concentrados que terminavam em intensas reações de langor sensual. Seu rosto bonito, com sua testa alta e branca, seu nariz agressivo e sua boca um tanto frouxa e sensual, era um índice justo do compromisso entre força e fraqueza em sua natureza.

De um tipo muito diferente era seu companheiro, Julius Burger. Ele vinha de uma mistura curiosa, um pai alemão e uma mãe italiana, com as robustas qualidades do Norte misturando-se estranhamente com as graças mais suaves do Sul. Teutônicos olhos azuis iluminavam seu rosto bronzeado pelo sol, e acima deles elevava-se uma testa quadrada, grande, com uma franja de densos cachos amarelos emoldurando-a. Seu queixo forte e firme era escanhoado, e seu companheiro comentara muitas vezes o quanto ele se assemelhava àqueles velhos bustos romanos que espiavam a partir das sombras nos cantos de seu quarto. Sob sua rude força alemã encontrava-se sempre um vestígio de sutileza italiana, mas o sorriso era tão sincero, e os olhos tão francos, que se compreendia que esse era apenas um indício de sua linhagem, sem nenhuma relação real com seu caráter. Em idade e em reputação, ele estava no mesmo nível que seu companheiro inglês, mas sua vida e seu trabalho tinham ambos sido muito mais árduos. Doze anos antes, chegara a Roma como um estudante pobre, e vivera desde então de uma pequena dotação para pesquisa que lhe fora concedida pela Universidade de Bonn. Penosa, lenta e obstinadamente, com extraordinária tenacidade e determinação, havia subido de um degrau a outro da escada da fama, até que agora era membro da Academia de Berlim, e havia todas as razões para crer que seria em breve promovido à cátedra da maior das universidades alemãs. Mas a unicidade de propósito que o trouxera para o mesmo nível elevado que o rico e brilhante inglês, fizera com que em tudo fora de seu trabalho ele se situasse infinitamente abaixo dele. Nunca encontrara uma pausa em seus estudos em que cultivar as graças sociais. Era apenas quando falava de seu próprio assunto que seu semblante se enchia de vida e alma. Em outras ocasiões, era silencioso e embaraçado, consciente demais de suas próprias limitações em assuntos mais amplos, e impaciente com aquela conversa fiada que é o refúgio convencional daqueles que não têm nenhum pensamento para expressar.

No entanto, por alguns anos houvera um relacionamento que parecia estar amadurecendo lentamente numa amizade entre esses dois rivais muito diferentes. A base e origem disso residia no fato de que em seus próprios estudos cada um era o único dos homens mais jovens que tinha conhecimento e entusiasmo suficientes para apreciar corretamente o outro. Seus interesses e atividades comuns os haviam aproximado, e cada um fora atraído pelo conhecimento do outro. E depois gradualmente alguma coisa se acrescentara a isso. Kennedy se divertira com a franqueza e a simplicidade de seu rival, ao passo que Burger, por sua vez, sentira-se fascinado pelo brilho e a vivacidade que tinham feito de Kennedy um dos favoritos da sociedade romana. Eu disse "tinham" porque naquele exato momento o jovem inglês estava um pouco sob uma nuvem. Um caso amoroso, cujos detalhes nunca tinham sido inteiramente revelados, apontara tal crueldade e insensibilidade de sua parte que chocou muitos de seus amigos. Mas nos círculos solteiros de estudiosos e artistas em que ele preferia se mover não havia nenhum código de honra muito rígido nessas questões, e embora uma cabeça possa ter se sacudido e um par de ombros se encolhido por causa da fuga de dois e o retorno de um, o sentimento geral foi provavelmente mais de curiosidade e talvez inveja que de reprovação.

"Ouça-me, Burger", disse Kennedy, "desejo realmente que você confie em mim."

A nova catacumba

Ao falar, ele acenou a mão na direção de um tapete estendido no assoalho. Sobre o tapete havia uma cesta de frutas comprida e rasa do leve trabalho de vime que é usado na Campagna, e esta estava repleta com uma mixórdia de objetos, ladrilhos inscritos, inscrições quebradas, mosaicos rachados, papiros rasgados, ornamentos de metal enferrujados, que para o não iniciado pareceria ter vindo direto de uma lixeira, mas que um especialista teria rapidamente reconhecido como única em seu gênero. A pilha de bugigangas na cesta rasa de vime fornecia exatamente um daqueles elos perdidos de desenvolvimento social que são de tanto interesse para o estudioso. Fora o alemão que as trouxera, e os olhos do inglês estavam faminots enquanto ele as contemplava.

"Não vou interferir com seu tesouro, mas gostaria muito de ouvir sobre ele", continuou, enquanto Burger acendia muito pausadamente um charuto. "É evidentemente uma descoberta da máxima importância. Essas inscrições farão sensação em toda a Europa."

"Para cada uma aqui há um milhão lá!", disse o alemão. "Há tantas que uma dúzia de sábios poderia passar uma vida sobre elas, e construir uma reputação tão sólida quanto o Castelo de Santo Ângelo."

Kennedy ficou pensando com sua bela testa vincada e seus dedos brincando com seu bigode longo e claro.

"Você se traiu, Burger!", disse ele por fim. "Suas palavras só podem se aplicar a uma coisa. Você descobriu uma nova catacumba."

"Eu não tinha nenhuma dúvida de que você já tinha chegado a essa conclusão a partir de um exame desses objetos."

"Bem, eles certamente pareceram indicá-la, mas seus últimos comentários a tornam certa. Não há nenhum lugar exceto uma catacumba que poderia conter um depósito tão vasto de relíquias como você descreve."

"Precisamente. Não há nenhum mistério em relação a isso. Eu *descobri* uma nova catacumba."

"Onde?"

"Ah, esse é meu segredo, meu caro Kennedy. Basta dizer que ela está situada de tal maneira que não há uma chance em um milhão de que alguém mais a encontre. Sua data é diferente da de qualquer catacumba conhecida, e ela era reservada para o enterro dos mais elevados cristãos, de modo que os vestígios e as relíquias são muito diferentes de tudo que jamais foi visto antes. Se eu não estivesse ciente de seu conhecimento e de sua energia, meu amigo, não hesitaria, sob a promessa de segredo, em lhe contar tudo sobre ela. Mas tal como vejo as coisas, penso que devo certamente preparar meu próprio relatório do assunto antes de me expor a tão formidável competição."

Kennedy amava esse assunto com um amor que era quase uma mania — um amor ao qual se mantinha fiel em meio a todas as distrações que ocorrem a um jovem rico e extravagante. Ele tinha ambição, mas sua ambição era secundária à sua mera alegria abstrata e ao interesse por tudo que dizia respeito à antiga vida e à história da cidade. Ansiava por ver esse novo submundo que seu companheiro tinha descoberto.

"Ouça-me, Burger", ele disse, seriamente, "eu lhe asseguro que pode confiar em mim da maneira mais inquestionável nesse assunto. Nada me induziria a levar a pena ao papel sobre coisa alguma que eu veja até que tenha sua permissão expressa. Compreendo perfeitamente seu sentimento e penso que ele é muitíssimo natural, mas você realmente não tem absolutamente nada a temer da minha parte. Por outro lado, se você não me contar, farei uma busca sistemática, e irei certamente descobri-la. Nesse caso, é claro, eu faria dela o uso que bem entendesse, pois não teria nenhuma obrigação em relação a você."

Burger sorriu pensativamente sobre seu charuto.

A nova catacumba

"Eu notei, amigo Kennedy", disse ele, "que quando quero informação sobre algum ponto você nem sempre está disposto a fornecê-la."

"Quando foi que você me perguntou alguma coisa e eu não lhe disse? Lembra-se, por exemplo, de que lhe dei o material para seu artigo sobre o templo das Vestais."

"Ah, bem, aquele não era um assunto de muita importância. Se eu lhe indagasse sobre alguma coisa íntima, você me daria uma resposta? É o que me pergunto! Essa nova catacumba é uma coisa muito íntima para mim, e eu deveria certamente esperar algum sinal de confiança em troca."

"Não posso imaginar aonde você quer chegar", disse o inglês, "mas se quer dizer que irá responder à minha pergunta sobre a catacumba se eu responder a qualquer pergunta que você possa me fazer, posso lhe assegurar que certamente o farei."

"Bem, então", disse Burger, recostando-se prazerosamente em seu assento, e soprando uma árvore azul de fumaça de charuto no ar, "conte-me tudo sobre suas relações com a srta. Mary Saunderson."

Kennedy pulou em sua cadeira e lançou um olhar furioso para seu impassível companheiro.

"Que diabo você quer dizer?", exclamou. "Que tipo de pergunta é essa? Talvez diga isso de brincadeira, mas você nunca fez uma pior."

"Não, não falo de brincadeira", disse Burger simplesmente. "Estou realmente bastante interessado nos detalhes do caso. Não conheço muito sobre o mundo, as mulheres e a vida social e esse tipo de coisa, e um incidente como esse tem o fascínio do desconhecido para mim. Eu o conheço, e a conhecia de vista — tinha até chegado a falar com ela uma ou duas vezes. Gostaria muito de ouvir de seus próprios lábios o que ocorreu entre vocês."

"Não lhe direi uma palavra."

"Está muito bem. Foi apenas um capricho meu para ver se você revelaria um segredo tão facilmente quanto esperava que eu revelasse meu segredo da nova catacumba. Você não o faria, e eu não esperava que o fizesse. Mas por que esperaria outra coisa de mim? O relógio da igreja de São João está batendo dez horas. Está na hora de eu ir para casa."

"Não, espere um pouco, Burger", disse Kennedy; "esse é realmente um capricho ridículo seu, querer saber sobre um antigo caso amoroso que se extinguiu meses atrás. Você sabe que consideramos um homem que beija e conta como o maior covarde e patife possível."

"Certamente", disse o alemão, recolhendo sua cesta de curiosidades, "quando ele conta sobre uma moça alguma coisa que é previamente desconhecida, ele assim é. Mas nesse caso, como você deve saber, trata-se de um assunto público que foi a conversa corrente de Roma, de modo que você não está fazendo à srta. Mary Saunderson nenhuma injúria ao discutir o caso dela comigo. Mas ainda assim, respeito seus escrúpulos; e portanto boa noite!"

"Espere um momento, Burger", disse Kennedy, pondo a mão sobre o braço do outro; "estou muito entusiasmado com esse caso da catacumba, e não posso abandoná-lo tão facilmente. Você se importaria de me perguntar alguma outra coisa em troca — alguma coisa não tão excêntrica desta vez?"

"Não, não; você se recusou, e o assunto acaba aí", disse Burger, com sua cesta no braço. "Sem dúvida você está muito certo ao não responder, e sem dúvida estou muito certo também — e assim novamente, meu caro Kennedy, boa noite!"

O inglês viu Burger atravessar o quarto, e ele estava com a mão na maçaneta da porta antes que seu anfitrião saltasse de seu assento com o ar de um homem que tira o melhor proveito do que não pode ser evitado.

A nova catacumba

"Espere aí, companheiro", disse ele; "penso que você está se comportando de uma maneira extremamente ridícula; mas, ainda assim, se essa é a sua condição, suponho que devo me submeter a ela. Detesto dizer qualquer coisa sobre uma moça, mas, como você diz, está por toda Roma, e não suponho que posso lhe contar qualquer coisa que você já não saiba. O que você queria saber?"

O alemão voltou à estufa, e, pousando no chão a sua cesta, afundou em sua cadeira mais uma vez.

"Posso pegar outro charuto?", disse ele. "Muito obrigado! Nunca fumo quando trabalho, mas aprecio muito mais uma conversa quando estou sob a influência do tabaco. Agora, com relação a essa jovem com quem você teve essa pequena aventura. Que diabos aconteceu com ela?"

"Ela está em casa com sua própria gente."

"Oh, realmente — na Inglaterra?"

"Sim."

"Que parte da Inglaterra — Londres?"

"Não, Twickenham."

"Você deve perdoar minha curiosidade, meu caro Kennedy, e deve atribuí-la à minha ignorância do mundo. Sem dúvida é uma coisa muito simples convencer uma jovem a partir com você por cerca de três semanas, e depois entregá-la à sua própria família em... que nome você deu ao lugar?"

"Twickenham."

"Isso mesmo — em Twickenham. Mas é algo tão inteiramente fora de minha própria experiência que não posso sequer imaginar como você fez isso. Por exemplo, se você tinha amado essa moça, seu amor certamente não poderia ter desaparecido em três semanas, portanto presumo que não podia tê-la amado de maneira alguma. Mas se não a amava, por que teria provocado esse grande escândalo que o prejudicou e arruinou a moça?"

Kennedy olhava de mau humor para o olho vermelho da estufa.

"Essa é uma maneira lógica de enxergar o assunto, certamente", disse ele. "Amor é uma palavra eloquente, e representa muitas diferentes nuances de sentimento. Eu gostava dela, e — bem, você diz que a viu — sabe quão encantadora ela podia parecer. Mas ainda assim estou disposto a admitir, olhando para trás, que eu nunca teria podido realmente amá-la."

"Nesse caso, meu caro Kennedy, por que o fez?"

"A aventura da coisa teve muito a ver com isso."

"Ora! Você gosta tanto assim de aventuras?"

"Onde estaria a variedade da vida sem elas? Foi para uma aventura que primeiro comecei a lhe dedicar minhas atenções. Persegui muita caça em meu tempo, mas não há caçada como a de uma mulher bonita. Havia também a dificuldade picante da coisa, pois, como ela era a acompanhante de lady Emily Rood, era quase impossível vê-la sozinha. Além de todos os outros obstáculos que me atraíam, fiquei sabendo de seus próprios lábios muito cedo no curso dos acontecimentos que ela estava noiva."

"*Mein Gott*! De quem?"

"Ela não mencionou nomes."

"Creio que ninguém sabe disso. Então isso tornou a aventura mais sedutora, não é?"

"Bem, certamente lhe deu um tempero. Você não acha?"

"Eu lhe digo que sou muito ignorante nessas coisas."

"Meu caro amigo, você pode se lembrar que a maçã que furtou da árvore do vizinho era sempre mais doce do que a que caía da sua própria. E então descobri que ela sentia algo por mim."

"O que — imediatamente?"

"Oh, não, foi preciso minar e solapar por uns três meses. Mas finalmente a conquistei. Ela compreendeu que minha separação judicial de minha esposa tornava impossível para mim fazer a coisa certa em relação a ela — mas veio mesmo assim, e passamos um tempo delicioso, enquanto durou."

"Mas e quanto ao outro homem?"

Kennedy deu de ombros.

"Suponho que é a sobrevivência dos mais aptos", disse ele. "Se ele tivesse sido o melhor homem, ela não o teria abandonado. Vamos mudar de assunto, porque já me fartei dele!"

"Só mais uma coisa. Como se livrou dela em três semanas?"

"Bem, ambos tínhamos esfriado um pouco, você entende. Ela se recusava absolutamente, sob quaisquer circunstâncias, a voltar para encarar as pessoas que tinha conhecido em Roma. Ora, evidentemente, Roma é necessária para mim, e eu já estava ansioso para voltar ao meu trabalho — de modo que havia uma causa óbvia de separação. Então, ainda por cima, seu velho pai apareceu no hotel em Londres, e houve uma cena, e a coisa toda se tornou tão desagradável que realmente — embora eu tenha sentido uma enorme falta dela a princípio — fiquei muito feliz por escapar daquilo. Agora, confio que você não vá repetir nada do que eu disse."

"Meu caro Kennedy, eu não sonharia em repeti-lo. Mas tudo que você diz me interessa muito, porque me dá uma ideia da sua maneira de ver as coisas, que é inteiramente diferente da minha, pois vi tão pouco da vida. E agora você quer saber sobre minha nova catacumba. É inútil que eu tente descrevê-la, pois você nunca a encontraria a partir disso. Só há uma coisa, e essa é que eu o leve lá."

"Isso seria esplêndido."

"Quando você gostaria de ir?"

"Quanto antes melhor. Estou muito impaciente por vê-la."

"Bem, esta é uma bela noite — embora um pouco fria. Suponha que partamos dentro de uma hora. Devemos ter muito cuidado para manter o assunto entre nós. Se alguém nos visse caçando em dupla, iria suspeitar de que havia alguma coisa acontecendo."

"Todo cuidado será pouco", disse Kennedy. "É longe?"

"Alguns quilômetros."

"Não longe demais para irmos andando?"

"Oh, não, podemos andar até lá facilmente."

"Então é melhor fazermos isso. As desconfianças de um cocheiro seriam despertadas se ele nos deixasse em algum ponto isolado no meio da noite."

"Isso mesmo. Penso que o melhor para nós seria nos encontrarmos no Portão da Via Ápia à meia-noite. Devo voltar ao meu alojamento para pegar fósforos, velas e outras coisas."

"Certo, Burger! Acho que é muita bondade sua me revelar esse segredo, e eu lhe prometo que não escreverei nada sobre ele até que você tenha publicado seu relatório. Até logo por ora! Você me encontrará no Portão às doze."

O ar frio e claro estava cheio com os repiques musicais daquela cidade dos relógios quando Burger, envolto num sobretudo italiano, com uma lanterna pendendo da mão, dirigiu-se para o ponto de encontro. Kennedy saiu da sombra para encontrá-lo.

"Você é tão apaixonado no trabalho quanto no amor!", disse o alemão, rindo.

"Sim; estive esperando aqui por quase meia hora."

"Espero que não tenha deixado nenhuma pista de para onde estava indo."

"Não fui tão tolo! Por Deus, estou gelado até os ossos! Vamos, Burger, vamos nos aquecer com uma caminhada vigorosa."

Seus passos soavam altos e nítidos sobre o grosseiro calçamento de pedra que é tudo que resta da mais famosa estrada do mundo. Um ou dois camponeses voltando da taberna para casa e algumas carroças de produtos do campo chegando a

Roma, foram as únicas coisas que encontraram. Eles avançaram, com as enormes tumbas que assomavam através da escuridão de cada lado, até que tinham chegado às Catacumbas de São Calisto, e viram contra uma lua nascente o grande bastião circular de Cecília Metela diante deles. Então Burger parou com a mão sobre o flanco.

"Suas pernas são mais longas que as minhas, e você está acostumado a caminhar", disse rindo. "Acho que o lugar em que deixamos a estrada é por aqui. Sim, é isto, na esquina da *trattoria*. Agora, é uma trilha muito estreita, por isso é melhor eu ir na frente e você pode seguir."

Ele tinha acendido sua lanterna, e por sua luz era-lhes possível seguir uma trilha estreita e tortuosa que serpenteava pelos brejos da Campagna. O grande Aqueduto da velha Roma estendia-se como uma monstruosa lagarta através da paisagem iluminada pela lua, e seu caminho os fez passar sob um de seus enormes arcos, e pelo círculo de tijolos a se esfarelar da velha arena. Finalmente Burger parou num solitário abrigo para vacas de madeira, e tirou uma chave do bolso. "Na certa sua catacumba não é dentro de uma casa!", exclamou Kennedy.

"A entrada para ela é. Essa é justamente a salvaguarda que temos contra a possibilidade de qualquer outra pessoa descobri-la."

"O proprietário sabe disso?"

"Não ele. Ele tinha encontrado um ou dois objetos que me deixaram quase certo de que sua casa estava construída na entrada de um lugar desse tipo. Então aluguei-a dele e fiz minhas escavações por mim mesmo. Entre, e feche a porta atrás de você."

Era uma construção comprida, vazia, com as manjedouras das vacas ao longo de uma parede. Burger pousou sua lanterna no chão, e, colocando seu sobretudo em volta dela, cobriu sua luz em todas as direções, exceto uma.

"Poderia despertar comentário se alguém visse uma luz neste lugar solitário", disse ele. "Ajude-me a deslocar estas tábuas."

O assoalho era frouxo no canto, e tábua por tábua, os dois sábios o levantaram e o apoiaram contra a parede. Embaixo havia uma abertura quadrada e uma escada de velhos degraus de pedra que desciam às entranhas da terra.

"Cuidado!", exclamou Burger, quando Kennedy, em sua impaciência, se apressou a descê-los. "É um perfeito labirinto lá embaixo, e se você se perdesse uma vez haveria uma probabilidade de cem contra um de que nunca sairia dali novamente. Espere até que eu traga a luz."

"Como você encontra seu próprio caminho se é tão complicado?"

"A princípio, salvei-me por milagres algumas vezes, mas pouco a pouco aprendi a me safar. Há um certo sistema nisso, mas ele é tal que um homem perdido, se estivesse no escuro, não poderia descobri-lo. Mesmo agora eu sempre estendo uma bola de barbante atrás de mim quando avanço muito catacumba adentro. Você pode ver por você mesmo que é difícil, mas cada uma dessas galerias se divide e subdivide uma dúzia de vezes antes que avancemos uns cem metros."

Eles tinham descido aproximadamente seis metros a partir do nível do estábulo, e estavam parados agora numa câmara quadrada recortada do tufo macio. A lanterna lançava uma luz tremulante, brilhante embaixo e pálida em cima, sobre as paredes marrons rachadas. Em todas as direções havia aberturas negras de galerias que irradiavam desse centro comum.

"Quero que você me siga de perto, meu amigo", disse Burger. "Não se demore para olhar para nada no caminho, porque o lugar para onde vou levá-lo contém tudo que você pode ver, e mais. Vai nos poupar tempo ir direto para lá."

A nova catacumba

Ele tomou a frente em um dos corredores, e o inglês o seguiu de perto. Volta e meia o corredor se bifurcava, mas Burger estava evidentemente seguindo algumas marcas secretas próprias, pois nem parava nem hesitava. Por toda parte ao longo das paredes, amontoados como os beliches num navio de emigrantes, jaziam cristãos da antiga Roma. A luz amarela tremulava sobre os traços enrugados das múmias e lampejava sobre crânios redondos e ossos de braços, compridos e brancos, cruzados sobre peitos descarnados. E em toda parte por onde passava, Kennedy olhava com olhos cobiçosos para inscrições, urnas funerárias, pinturas, vestimentas, utensílios, todos jazendo tal como mãos piedosas os haviam colocado muitos séculos atrás. Estava claro para ele, mesmo nesses vislumbres apressados, de passagem, que essa era a melhor e mais antiga das catacumbas, contendo tamanho depósito de vestígios romanos como nunca antes fora permitido ao estudioso observar num dado momento.

"Que aconteceria se a luz se apagasse?", ele perguntou, enquanto avançavam às pressas.

"Tenho uma vela sobressalente e uma caixa de fósforos em meu bolso. Por falar nisso, Kennedy, você tem fósforos?"

"Não, seria melhor você me dar alguns."

"Oh, está tudo certo. Não há possibilidade de nos separarmos."

"Até onde vamos? Tenho a impressão de que caminhamos pelo menos uns quatrocentos metros."

"Mais do que isso, suponho. Realmente não há limite para as tumbas — pelo menos nunca fui capaz de encontrar um. Este é um lugar muito difícil, por isso acho que vou usar minha bola de barbante."

Ele prendeu uma ponta numa pedra saliente e levou o rolo no peito de seu casaco, soltando-o à medida que avançava. Kennedy viu que não era uma precaução desnecessária, porque as galerias tinham se tornado mais complexas e tortuosas que nunca, com uma rede perfeita de corredores que se entrecruzavam. Mas todos estes terminavam num amplo salão circular com um pedestal quadrado de tufo encimado por uma laje de mármore numa extremidade dele.

"Meu Deus!", exclamou Kennedy em êxtase, quando Burger balançou sua lanterna sobre o mármore. "É um altar cristão — provavelmente o primeiro a existir. Aqui está a pequena cruz da consagração posta no canto dele. Sem dúvida este espaço circular era usado como uma igreja."

"Precisamente", disse Burger. "Se eu tivesse mais tempo, gostaria de lhe mostrar todos os corpos que estão enterrados nesses nichos nas paredes, pois eles são os primeiros papas e bispos da Igreja, com suas mitras, seus báculos e trajes completos. Vá até aquele ali e olhe-o!"

Kennedy atravessou e fitou a cabeça lívida que jazia solta sobre a mitra esfarrapada e em decomposição.

"Isto é extremamente interessante", disse ele, e sua voz pareceu ribombar contra a abóbada côncava. "Até onde vai a minha experiência, é único. Traga a lanterna, Burger, porque quero ver todos eles."

Mas o alemão havia se distanciado, e estava parado no meio de um círculo amarelo de luz do outro lado do salão.

"Sabe quantos possíveis desvios equivocados há entre este lugar e as escadas?", ele perguntou. "Mais de dois mil. Sem dúvida esse era um dos meios de proteção que os cristãos adotavam. As probabilidades de que um homem não escape são de dois mil para um, mesmo que ele tivesse uma luz, mas se ele estivesse no escuro seria, é claro, muito mais difícil."

"Acredito que sim."

"E a escuridão é algo pavoroso. Tentei uma vez para um experimento. Vamos tentar de novo!" Ele se inclinou sobre a lanterna e num instante foi como se uma mão invisível tivesse se apertado contra cada um dos olhos de Kennedy. Ele jamais soubera o que era uma escuridão assim. Ela parecia comprimi-lo e asfixiá-lo. Era um obstáculo sólido contra o qual o corpo evitava avançar. Ele esticou as mãos para afastá-lo de si.

"Já basta, Burger", disse, "tenhamos a luz de novo."

Mas seu companheiro começou a rir, e naquela sala circular o som parecia vir de todos os lados ao mesmo tempo.

"Você parece inquieto, amigo Kennedy", disse ele.

"Vamos, homem, acenda a vela!", disse Kennedy com impaciência.

"É muito estranho, Kennedy, mas, pelo som, não consigo determinar de maneira alguma em que direção você está. Você poderia determinar onde estou?"

"Não; você parece estar em todos os lados."

"Se não fosse pelo barbante que seguro em minha mão, eu não teria noção de em que direção seguir."

"Suponho que não. Acenda a luz, homem, e vamos parar com esta tolice."

"Bem, Kennedy, há duas coisas que, pelo que sei, lhe agradam muito. Uma delas é uma aventura, e a outra é um obstáculo a superar. A aventura deverá ser encontrar seu caminho para fora desta catacumba. O obstáculo serão a escuridão e os dois mil possíveis desvios equivocados que tornam o caminho um pouco difícil de encontrar. Mas você não precisa se apressar, pois tem muito tempo, e quando parar para um descanso de vez em quando, eu gostaria que apenas pensasse na srta. Mary Saunderson e se você a tratou com muita justiça."

"Seu demônio, o que quer dizer?", rugiu Kennedy. Ele estava correndo de um lado para outro em pequenos círculos e agarrando o sólido negrume com ambas as mãos.

"Adeus", disse a voz zombeteira, e ela já estava a alguma distância. "Eu realmente não acho, Kennedy, nem sequer segundo sua própria versão, que você agiu corretamente com essa moça. Há só um pequeno detalhe que aparentemente você desconhecia, e posso lhe dar essa informação. A srta. Saunderson estava noiva de um pobre diabo de um estudante, e o nome dele era Julius Burger."

Houve uma agitação em algum lugar, o vago som de um pé numa pedra, e depois o silêncio caiu sobre aquela antiga igreja cristã — um silêncio estagnado, pesado, que envolveu Kennedy e o encerrou como água em torno de um homem que se afoga.

Cerca de dois meses depois o seguinte parágrafo percorreu toda a imprensa europeia:

"Uma das mais interessantes descobertas dos últimos anos é a nova catacumba em Roma, que se situa alguma distância a leste das conhecidas câmaras mortuárias de São Calisto. A descoberta desse importante local de sepultamento, que é extremamente rico em interessantíssimos vestígios antigos da era cristã, deve-se à energia e sagacidade do dr. Julius Burger, o jovem especialista alemão, que está rapidamente tomando o primeiro lugar como autoridade sobre Roma Antiga. Embora o primeiro a publicar sua descoberta, parece que um aventureiro menos afortunado tinha antecipado o dr. Burger. Alguns meses atrás, o sr. Kennedy, o conhecido estudioso inglês, desapareceu subitamente de seus aposentos no Corso, e conjecturou-se que sua associação com um recente escândalo o impelira a deixar Roma. Revela-se agora que ele tinha sido na realidade uma vítima daquele férvido amor pela arqueologia que o elevara a um eminente lugar entre os estudiosos vivos. Seu corpo foi encontrado no coração da nova catacumba, e ficou evidente pela condição de seus pés e botas que ele vagara por dias através dos tortuosos corredores que tornam essas tumbas subterrâneas tão perigosas para exploradores.

A nova catacumba

O falecido cavalheiro tinha adentrado nesse labirinto, com inexplicável impetuosidade, sem levar consigo, até onde se pôde descobrir, nem velas nem fósforos, de modo que seu triste destino foi o resultado natural de sua própria temeridade. O que torna o assunto mais penoso é que o dr. Julius Burger era um amigo íntimo do falecido. Sua alegria com a extraordinária descoberta que teve a sorte de fazer foi maculada em grande medida pelo terrível destino de seu camarada e companheiro de trabalho."

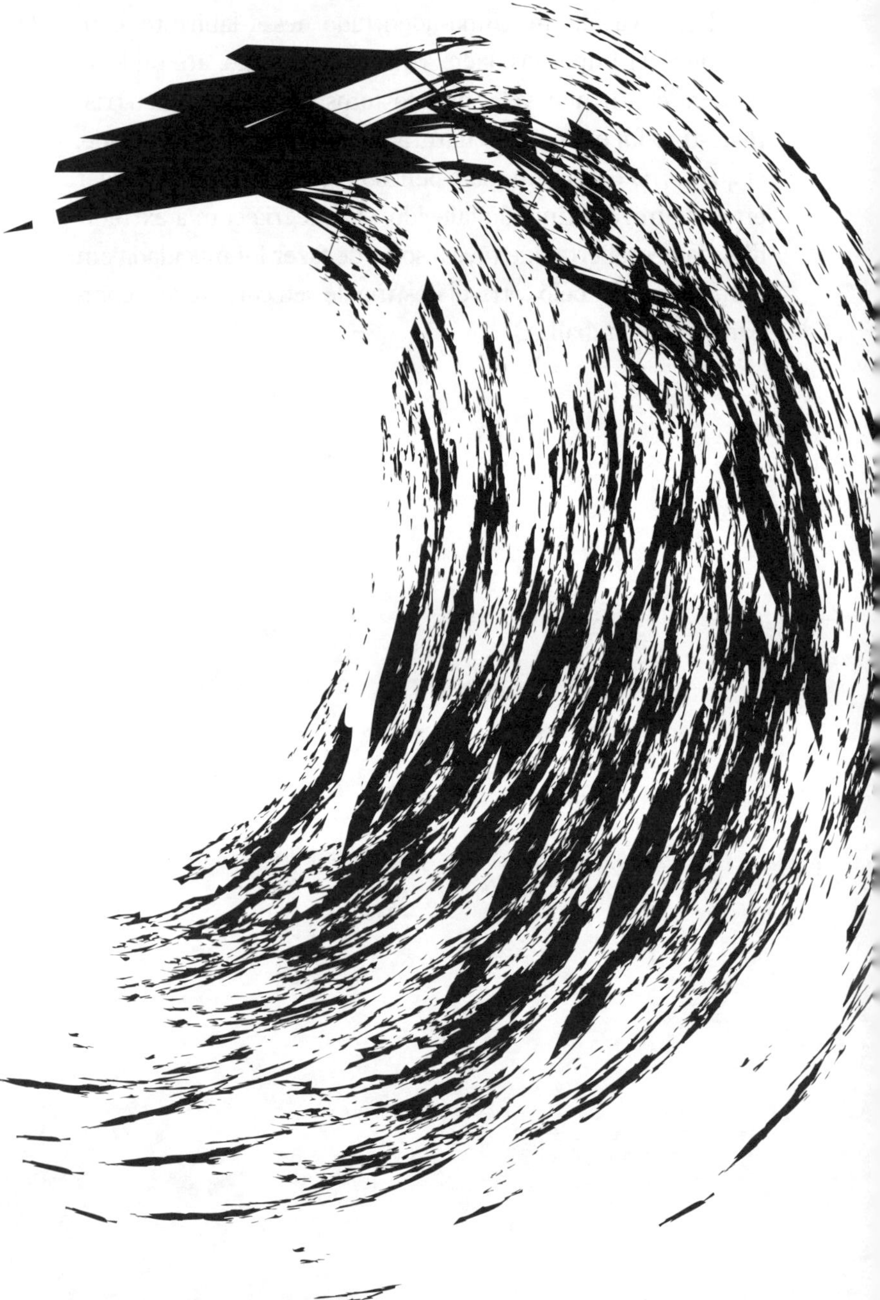

O gato brasileiro

1898

É um azar para um rapaz ter gostos dispendiosos, grandes expectativas, relações aristocráticas, mas nenhum dinheiro real em seu bolso, e nenhuma profissão por meio da qual possa ganhar algum. O fato foi que meu pai, um homem bom, otimista, de trato fácil, tinha tal confiança na riqueza e na benevolência de seu irmão mais velho solteiro, lorde Southerton, que deu por certo que eu, seu único filho, nunca me veria na necessidade de ganhar a vida por mim mesmo. Ele imaginava que se não houvesse um lugar para mim nas grandes Propriedades Southerton, pelo menos seria encontrado algum posto no serviço diplomático, que continua sendo o domínio especial de nossas classes privilegiadas. Morreu cedo demais para compreender quão falsos tinham sido os seus cálculos. Nem meu tio nem o Estado prestaram a menor atenção a mim, ou mostraram qualquer interesse por minha carreira. Um ocasional par de faisões, ou cesta de lebres, foi tudo que chegou a mim para me lembrar de que eu era herdeiro de Otwell House e de uma das propriedades mais ricas do país. Nesse meio-tempo, vi-me solteiro e homem do mundo, morando numa suíte de aposentos em Grosvenor Mansions, sem nenhuma ocupação exceto o tiro ao pombo e o jogo de polo em Hurlingham. Mês a mês, eu me dava conta de que estava cada vez mais difícil conseguir que os cambistas renovassem minhas faturas ou que descontassem mais títulos pagáveis após a morte sobre uma propriedade não vinculada. A ruína estava diretamente à minha frente, e a cada dia eu a via mais clara, mais próxima e mais absolutamente inevitável.

O que me fazia sentir ainda mais minha própria pobreza era que, afora a grande fortuna de lorde Southerton, todos os meus outros parentes eram razoavelmente abastados.

O mais próximo destes era Everard King, sobrinho de meu pai e meu primo primeiro, que tinha empreendido uma vida aventureira no Brasil e agora retornara a este país para se instalar sobre sua fortuna. Nunca soubemos como ganhara seu dinheiro, mas parecia ter muito, pois comprou a propriedade de Greylands, perto de Clipton-on-the-Marsh, em Suffolk. Durante o primeiro ano de sua residência na Inglaterra ele não prestou mais atenção a mim que meu tio sovina; mas finalmente numa manhã de verão, para meu grande alívio e alegria, recebi uma carta convidando-me para fazer, naquele mesmo dia, uma breve visita a Greylands Court. Eu esperava na época uma visita bastante longa ao Tribunal de Falências, e essa interrupção pareceu quase providencial. Se eu pudesse apenas chegar a um acordo com esse parente desconhecido, ainda poderia me safar. Pela reputação da família ele não podia permitir que eu quebrasse inteiramente. Mandei meu criado fazer minha mala, e parti na mesma tarde para Clipton-on-the-Marsh.

Após fazer baldeação em Ipswich, um pequeno trem local me deixou numa pequena e deserta estação no meio de uma ondulada região herbosa, com um rio preguiçoso e sinuoso que serpenteava no meio dos vales, entre ribanceiras altas, assoreadas, que mostravam que estávamos ao alcance da maré. Nenhuma carruagem me esperava (descobri depois que meu telegrama chegara com atraso), por isso aluguei uma carruagem na estalagem local. O cocheiro, um excelente sujeito, era só elogios para meu parente, e fiquei sabendo por ele que o sr. Everard King já era um nome importante naquela parte do condado. Ele tinha entretido crianças na escola, tinha aberto seu terreno para visitantes, tinha contribuído para obras de caridade — em suma, sua benevolência tinha sido tão universal que meu cocheiro só podia explicá-la supondo que ele tinha ambições parlamentares.

Histórias de horror

Minha atenção foi desviada do panegírico de meu cocheiro pela aparição de uma ave muito bonita que se instalou num poste telegráfico ao lado da estrada. A princípio, pensei que era um gaio, mas era maior, e com uma plumagem mais brilhante. O cocheiro explicou sua presença de imediato dizendo que ela pertencia ao próprio homem que estávamos prestes a visitar. Parece que a aclimatação de animais estrangeiros era um de seus hobbies, e que ele trouxera consigo do Brasil muitas aves e feras que estava se esforçando para criar na Inglaterra. Assim que transpusemos os portões de Greylands Park, tivemos ampla evidência desse seu gosto. Alguns pequenos veados malhados, um curioso porco silvestre conhecido, creio, como queixada, um papa-figo esplendidamente emplumado, uma espécie de tatu e um singular animal deselegante e com dedos para dentro como um texugo muito gordo estavam entre os animais que observei quando percorremos a alameda sinuosa.

O sr. Everard King, meu primo desconhecido, estava postado em pessoa nos degraus de sua casa, pois nos vira a distância e adivinhara que era eu. Sua aparência era muito despretensiosa e benevolente, baixo e corpulento, 45 anos, talvez, com um rosto redondo, bem-humorado, bronzeado pelo sol tropical, e arruinado por um milhar de rugas. Usava roupas de linho branco, no verdadeiro estilo fazendeiro, com um charuto entre os lábios e um grande chapéu panamá na parte de trás da cabeça. Era uma dessas figuras que associamos a um bangalô avarandado, e parecia curiosamente deslocada diante dessa ampla mansão inglesa de pedra, com suas alas sólidas e suas colunas Palladio diante da porta.

"Minha querida!", ele gritou, olhando por sobre o ombro; "minha querida, aqui está nosso hóspede! Bem-vindo, bem-vindo a Greylands! É um prazer conhecê-lo, primo Marshall, e considero um grande cumprimento que honre com sua presença esta pequenina e sonolenta casa de campo."

Nada podia ser mais caloroso que suas maneiras, e isso me pôs à vontade num instante. Mas toda a sua cordialidade foi necessária para compensar a frieza e até rudeza de sua esposa, uma mulher alta, pálida, que se apresentou a seu chamado. Ela era, creio, de origem brasileira, embora falasse excelente inglês, e desculpei suas maneiras atribuindo-as à sua ignorância de nossos costumes. Não tentou esconder, contudo, tanto naquele momento quanto depois, que eu não era um visitante muito bem-vindo em Greylands Court. Suas palavras propriamente ditas eram, em geral, corteses, mas ela era dona de um par de olhos escuros particularmente expressivos, e li neles muito claramente desde o princípio que desejava ardentemente me ver de volta a Londres.

No entanto, minhas dívidas eram demasiado prementes e meus projetos para meu rico parente eram demasiado vitais para que eu permitisse que fossem perturbados pelo mau humor de sua esposa, por isso não fiz caso da frieza dela e retribuí a extrema cordialidade da acolhida dele. Nenhum esforço foi poupado por ele para que eu ficasse à vontade. Meu quarto era encantador. Ele implorou que eu lhe dissesse qualquer coisa que pudesse aumentar minha felicidade. Esteve na ponta da minha língua informá-lo de que um cheque em branco contribuiria de forma significativa para esse fim, mas senti que isso poderia ser prematuro no atual estado de nossas relações. O jantar foi excelente, e quando, depois, nos sentamos juntos enquanto fumávamos seus Havanas e tomávamos café, que ele me disse mais tarde ser especialmente preparado em sua própria fazenda, pareceu-me que todos os elogios de meu cocheiro eram justificados e que eu nunca conhecera um homem mais magnânimo e hospitaleiro.

Histórias de horror

Mas, apesar de sua índole boa e alegre, ele era um homem de vontade forte e temperamento impetuoso. Disso eu tive um exemplo na manhã seguinte. A curiosa aversão que a sra. Everard King desenvolvera em relação a mim era tão forte que suas maneiras no desjejum foram quase ofensivas. Mas sua intenção tornou-se inequívoca depois que seu marido saiu da sala.

"O melhor trem do dia é o de doze e quinze", disse ela.

"Mas eu não estava pensando em ir hoje", respondi francamente — talvez até desafiadoramente, pois estava decidido a não ser afugentado por essa mulher.

"Oh, se isso depende do senhor...", disse ela, e parou, com uma expressão extremamente insolente nos olhos.

"Tenho certeza", respondi, "de que o sr. Everard King me diria se eu estivesse abusando de sua hospitalidade."

"Que é isso? Que é isso?", disse uma voz, e ali estava ele na sala. Tinha escutado minhas últimas palavras, e um olhar para nossos rostos contou-lhe o resto. Num instante, seu rosto gorducho, alegre, fechou-se numa expressão de absoluta ferocidade.

"Você poderia ter a bondade de sair, Marshall?", disse ele. (Devo mencionar que meu próprio nome é Marshall King.)

Ele fechou a porta atrás de mim, e em seguida, por um instante, ouvi-o falar numa voz baixa de paixão concentrada com sua esposa. Essa flagrante violação da hospitalidade o havia evidentemente atingido em seu ponto mais sensível. Como não sou nenhum abelhudo, dirigi-me para o gramado. Pouco depois, ouvi um passo apressado atrás de mim, e lá estava a dama, com o rosto pálido de excitação e os olhos vermelhos de lágrimas.

"Meu marido solicitou-me que lhe pedisse desculpas, sr. Marshall King", disse ela, parada diante de mim, os olhos baixos.

O gato brasileiro

"Por favor, não diga nem mais uma palavra, sra. King." Seus olhos escuros de repente me fuzilaram.

"Seu idiota!", sibilou ela, com frenética veemência, e virando-se rapidamente voltou para a casa.

O insulto foi tão ultrajante, tão intolerável, que pude apenas ficar parado olhando para ela, perplexo. Ainda estava lá quando meu anfitrião se juntou a mim. Ele estava em sua disposição alegre e gorducha mais uma vez.

"Espero que minha mulher tenha se desculpado por seus comentários descabidos", disse ele.

"Oh, sim... Sim, certamente!"

Ele enfiou a mão no meu braço e me conduziu para cima e para baixo pelo gramado.

"Você não deve levar isso a sério", disse. "Eu ficaria indescritivelmente magoado se encurtasse sua visita em uma hora. O fato é que — não há razão para que haja qualquer dissimulação entre parentes — minha pobre e querida esposa está incrivelmente ciumenta. Ela detesta que qualquer pessoa — homem ou mulher — se interponha por um instante entre nós. Seu ideal é uma ilha deserta e um eterno *tête-à-tête*. Isso lhe dá a pista para suas ações, que não estão, confesso, neste ponto particular, muito distantes da mania. Diga-me que não pensará mais nisso."

"Não, certamente não."

"Então acenda este charuto e venha comigo ver minha pequena coleção de animais."

A tarde toda foi ocupada por essa inspeção, que incluiu todas as aves, feras e até répteis que ele tinha importado. Alguns estavam soltos, alguns em jaulas, um pequeno número realmente na casa. Ele falou com entusiasmo sobre seus sucessos e seus fracassos, seus nascimentos e mortes, e gritava de alegria, como um garoto, quando, enquanto andávamos, alguma ave vistosa voejava a partir da relva, ou algum animal curioso se retirava furtivamente para o abrigo. Finalmente, conduziu-me por um corredor que se estendia a partir de uma ala de sua casa. No fim dele, havia uma porta pesada com uma portinhola deslizante e a seu lado projetava-se da parede uma manivela de ferro presa a uma roda e a um tambor. Uma linha de sólidas barras se estendia através do corredor.

"Estou prestes a lhe mostrar a joia de minha coleção", disse ele. "Há somente um outro espécime na Europa, agora que o filhote de Rotterdam morreu. É um gato brasileiro."

"Mas como ele difere de qualquer outro gato?"

"Você logo verá", disse ele, rindo. "Poderia ter bondade de puxar aquela portinhola e olhar através dela?"

"Fiz isso, e descobri que estava olhando para um aposento grande e vazio, com lajes de pedra e pequenas janelas gradeadas na parede oposta. No centro dessa sala, deitado no meio de uma mancha dourada de luz solar, estava estendido um enorme animal, tão grande quanto um tigre, mas tão negro e liso quanto ébano. Era simplesmente um enorme e muito bem cuidado gato preto, e ele se enroscava e se aquecia naquela poça amarela de luz exatamente como qualquer gato. Era tão gracioso, tão musculoso, e tão gentil e suavemente diabólico, que eu não conseguia afastar os olhos da abertura."

"Ele não é esplêndido?", perguntou meu anfitrião entusiasticamente.

"Glorioso! Nunca vi um animal tão nobre."

"Algumas pessoas o chamam de puma preto, mas realmente não é um puma em absoluto. Esse camarada tem quase 3,3 metros da cauda ao focinho. Quatro anos atrás ele era uma bolinha de lanugem preta, com dois olhos amarelos que olhavam fixamente. Foi-me vendido como um filhote recém-nascido na região selvagem na cabeceira do rio Negro.

Mataram a mãe dele com uma lança depois de ela ter matado uma dúzia deles."

"São ferozes, então?"

"As criaturas mais absolutamente traiçoeiras e sedentas de sangue na face da terra. Você fala sobre um gato brasileiro com um índio do interior e o vê dar pulos. Eles preferem seres humanos a caça. Este camarada não provou sangue vivo ainda, mas quando o fizer será um terror. Por ora ele não tolera ninguém em sua toca exceto eu. Nem Baldwin, o tratador, ousa chegar perto dele. Quanto a mim, sou sua mãe e seu pai numa só pessoa."

Enquanto falava, ele de repente, para meu espanto, abriu a porta e se introduziu às pressas, fechando-a imediatamente atrás de si. Ao som de sua voz, o enorme e ágil animal se levantou, bocejou e esfregou a cabeça redonda e preta contra o seu flanco, enquanto ele lhe dava tapinhas e o afagava.

"Agora, Tommy, em sua jaula!", disse ele.

O monstruoso gato andou até um lado do aposento e se enroscou sob uma grade. Everard King saiu e, pegando a manivela de ferro que mencionei, começou a girá-la. À medida que ele o fazia, a linha de barras no corredor começou a passar através de uma fenda na parede e se fechou em frente à grade, de modo a fazer uma jaula efetiva. Quando ela estava em posição, ele abriu a porta mais uma vez e convidou-me para entrar na sala, onde o ar estava pesado com o cheiro pungente, rançoso, peculiar dos grandes carnívoros.

"É assim que fazemos", disse ele. "Damos-lhe a extensão do aposento para se exercitar, e depois à noite o colocamos em sua jaula. Podemos deixá-lo sair girando a manivela a partir do corredor, ou podemos, como você viu, enjaulá-lo da mesma maneira. Não, não, você não deveria fazer isso!"

Eu tinha posto minha mão entre as barras para afagar o flanco lustroso, arquejante. Ele a puxou para a fora, com uma expressão séria.

"Eu lhe asseguro que ele não é confiável. Não imagine que porque eu tomo liberdades com ele mais alguém possa fazê-lo. Ele é muito exclusivo com seus amigos... não é, Tommy? Ah, ele ouve seu almoço chegando! Não é, garoto?"

Passos soavam no corredor lajeado de pedras, e o animal se levantara e andava de um lado para outro na jaula estreita, seus olhos amarelos lampejando e sua língua escarlate ondulando e palpitando sobre a linha branca de seus dentes pontudos. Um tratador entrou com uma grosseira peça de carne sobre uma bandeja, e enfiou-a através das barras para ele. Ele saltou lepidamente sobre ela, carregou-a até o canto, e ali, segurando-a entre as patas, despedaçou-a e puxou-a com violência, levantando seu focinho ensanguentado de vez em quando para olhar para nós. Era uma visão maligna, mas fascinante.

"Não é de se admirar que eu goste dele, não é?", disse meu anfitrião, quando saíamos da sala, "especialmente quando você considera que tive a oportunidade de criá-lo. Não foi brincadeira trazê-lo do centro da América do Sul, mas aqui está ele, são e salvo — e é, como eu disse, de longe o espécime mais perfeito na Europa. O pessoal no Zoológico morre de vontade de tê-lo, mas realmente não posso me separar dele. Agora, penso que lhe infligi meu *hobby* por tempo suficiente, portanto o melhor que temos a fazer é seguir o exemplo de Tommy e ir para o nosso almoço".

Meu parente sul-americano estava tão absorto por sua propriedade e seus curiosos ocupantes que, a princípio, mal acreditei que tivesse quaisquer interesses fora deles. Que ele tinha alguns, e urgentes, logo me foi demonstrado pelo número de telegramas que recebia. Eles chegavam em todas as horas, e eram sempre abertos por ele com a máxima impaciência e ansiedade em seu rosto. Algumas vezes, imaginei que deviam ser as corridas de cavalos, e outras, a bolsa de valores, mas certamente ele tinha alguns negócios muito urgentes em curso que não eram tratados no hipódromo de Suffolk Downs. Durante os seis dias de minha visita ele nunca tinha recebido menos de três ou quatro telegramas por dia, e algumas vezes nada menos de sete ou oito.

Eu tinha ocupado esses seis dias tão bem que, ao fim deles, tinha conseguido chegar aos termos mais cordiais com meu primo. Toda noite, ficávamos sentados até tarde na sala de bilhar, ele me contando as histórias mais extraordinárias de suas aventuras na América — histórias tão arrojadas e afoitas que eu mal conseguia associá-las com o homenzinho moreno e rechonchudo diante de mim. Em troca, aventurei-me a lhe contar algumas de minhas próprias reminiscências da vida em Londres, que o interessaram tanto que ele prometeu que viria a Grosvenor Mansions e se hospedaria comigo. Estava ansioso para ver o lado mais extravagante da vida da cidade e, certamente, embora seja eu que o diga, não poderia ter escolhido um guia mais competente. Foi só no último dia de minha visita que me aventurei a abordar o que me preocupava. Falei-lhe francamente sobre minhas dificuldades pecuniárias e minha ruína iminente, e pedi seu conselho — embora esperasse algo mais sólido. Ele ouviu atentamente, tirando fortes baforadas de seu charuto

"Mas certamente", disse ele, "você é o herdeiro de nosso parente, lorde Southerton, não?"

"Tenho todos os motivos para acreditar que sim, mas ele nunca me concederia uma pensão."

"Não, não, ouvi falar de seus costumes sovinas. Meu pobre Marshall, sua posição tem sido muito difícil. A propósito, teve alguma notícia da saúde de lorde Southerton ultimamente?"

"Ele sempre esteve num estado crítico, desde a minha infância."

"Exatamente, uma dobradiça rangente, se algum dia houve uma. Sua herança pode estar muito distante. Valha-me Deus, em que situação embaraçosa você está!"

"Eu tinha alguma esperança de que, conhecendo todos os fatos, o senhor pudesse estar inclinado a adiantar..."

"Não diga mais uma palavra, meu caro rapaz", ele exclamou com a máxima cordialidade, "conversaremos sobre isso hoje à noite, e dou-lhe minha palavra de que tudo que estiver em meu poder será feito."

Eu não lamentava que minha visita estivesse chegando ao fim, pois é desagradável sentir que há uma pessoa na casa que deseja ansiosamente sua partida. O rosto pálido da sra. King e seus olhos intimidadores tinham se tornado cada vez mais odiosos para mim. Ela não era mais ativamente rude — seu medo do marido a impedia —, mas levava seu ciúme insano ao ponto de me ignorar, nunca se dirigindo a mim, e tornando de todas as maneiras minha estada em Greylands tão desconfortável quanto lhe era possível. Suas maneiras durante aquele último dia foram tão ofensivas que eu teria certamente partido se não fosse por aquela entrevista com meu anfitrião à noite que iria, eu esperava, evitar minha bancarrota.

Era muito tarde quando ela ocorreu, pois o meu parente, que estivera recebendo ainda mais telegramas que o usual durante o dia, retirou-se para seu gabinete após o jantar e só emergiu depois que todos na casa tinham ido se deitar. Eu o ouvi percorrer a casa trancando as portas, como era seu costume à noite, e finalmente foi se juntar a mim na sala de bilhar. Sua figura corpulenta estava enrolada num roupão, e ele usava um par de chinelos turcos vermelhos sem nenhum salto. Instalando-se numa poltrona, ele preparou para si um copo de grogue, em que não pude deixar de notar que o uísque predominava consideravelmente sobre a água.

"Pelos céus!", disse ele. "Que noite!"

De fato era. O vento uivava e gritava ao redor da casa, e as janelas de treliça chocalhavam e se sacudiam como se estivesse entrando. O fulgor das lâmpadas amarelas e o sabor de nossos charutos pareciam mais brilhante e mais fragrante graças ao contraste.

"Agora, meu rapaz", disse meu anfitrião, "temos a casa e a noite para nós. Deixe-me ter uma ideia do pé em que estão os seus negócios, e verei o que pode ser feito para pô-los em ordem. Desejo ouvir todos os detalhes."

Assim encorajado, entrei numa longa exposição, em que todos os meus fornecedores e credores, de meu senhorio ao meu criado, figuravam sucessivamente. Eu tinha anotações na minha carteira, e enfileirei meus fatos, fazendo, posso me gabar, um balanço muito sério de meus procedimentos pouco sérios e de minha lamentável posição. Fiquei desalentado, porem, ao notar que os olhos do meu companheiro estavam distraídos, e sua atenção, em outro lugar. Quando ele de fato, ocasionalmente, lançava um comentário, este era tão inteiramente superficial e inútil que eu tinha certeza de que ele não havia acompanhado minimamente minhas observações. Volta e meia ele acordava e fazia uma simulação de interesse, pedindo-me para repetir alguma coisa ou explicá-la mais completamente, mas era sempre para ficar mais uma vez absorto em seus pensamentos. Finalmente levantou-se e jogou a ponta de seu charuto na lareira.

"Vou lhe dizer uma coisa, meu rapaz", disse. "Nunca tive cabeça para números, por isso você vai me desculpar. Deve pôr tudo isso no papel, e deixar-me ter uma ideia do montante. Vou compreendê-lo quando o vir em preto e branco."

A proposta era encorajadora. Prometi que o faria.

"E, agora, já devíamos estar na cama. Meu Deus, o relógio no corredor está batendo uma hora."

O retinir do relógio de carrilhão quebrou o profundo rugido do vendaval. O vento passava com o ímpeto de um grande rio.

"Tenho de ver meu gato antes de ir para a cama", disse meu anfitrião. "Um vento forte o excita. Você quer vir?"

"Certamente", respondi.

"Então caminhe suavemente e não fale, pois todos estão dormindo."

Atravessamos silenciosamente o corredor forrado com um tapete persa e iluminado por uma lâmpada, e pela porta no outro extremo. Tudo estava escuro no corredor de pedra, mas uma lanterna de estrebaria estava pendurada num gancho, e meu anfitrião pegou-a e acendeu-a. Como não havia nenhuma grade visível no corredor, eu sabia que o animal estava em sua jaula.

"Entre!", disse meu parente, e abriu a porta.

Um profundo rosnado, quando entramos, mostrou que a tempestade realmente excitara o animal. À luz tremulante da lanterna, nós o vimos, uma enorme massa enroscada num canto de sua toca e projetando uma sombra atarracada, insólita, sobre a parede caiada. Sua cauda agitava-se raivosamente entre a palha.

"Pobre Tommy, não está no melhor dos humores", disse Everard King, levantando a lanterna e olhando para ele. "Que demônio negro ele parece, não é?" Devo lhe dar um pequeno jantar para pô-lo num humor melhor. Você se incomoda de segurar a lanterna um momento?"

Tomei-a de sua mão e ele se dirigiu à porta.

"A despensa dele fica logo aqui fora", disse. "Você me dará licença por um instante, não é?" Saiu, e a porta se fechou com um nítido clique metálico atrás dele.

O gato brasileiro

Aquele som duro e claro fez meu coração parar. Uma súbita onda de terror se apossou de mim. Uma vaga percepção de uma perfídia monstruosa deixou-me frio e saltei para a porta, mas não havia nenhuma maçaneta do lado de dentro.

"Aqui!", gritei. "Deixe-me sair!"

"Está bem! Não faça um escândalo!", disse meu anfitrião do corredor. "Você está com a luz, não é?"

"Sim, mas não gosto de ficar trancado sozinho assim."

"Não gosta?", ouvi seu riso bonachão. "Você não ficará muito tempo sozinho."

"Deixe-me sair, senhor!", repeti irritado. "Digo-lhe que não autorizo esse tipo de trote!"

"Trote é a palavra", disse ele, com outro tipo de risadinha, cheia de ódio. E então, de repente, ouvi, em meio ao rugido da tempestade, o rangido da manivela girando e o chocalhar da grade ao passar pela fenda. Meu Deus, ele estava soltando o gato brasileiro!

À luz da lanterna, vi as barras deslizando devagar diante de mim. Já havia uma abertura de uns trinta centímetros no outro extremo. Com um grito, agarrei a última barra com as mãos e puxei com a força de um louco. Eu *era* um louco, tomado de fúria e horror. Por um minuto ou mais, mantive a coisa imóvel. Sabia que ele estava empurrando a manivela com toda a sua força, e que o efeito de alavanca certamente me venceria. Cedi centímetro por centímetro, meus pés deslizando pelas pedras, e durante todo o tempo supliquei e roguei a esse monstro desumano que me salvasse dessa horrível morte. Invoquei-o por seu parentesco. Lembrei-lhe de que eu era seu hóspede; supliquei que me dissesse que mal eu jamais lhe fizera. Suas únicas respostas eram os puxões e sacudidelas na alavanca, cada um dos quais, apesar de todos os meus esforços, puxava mais uma barra através da abertura. Agarrando-me e segurando, fui arrastado

Histórias de horror

através de toda a frente da jaula, até que, finalmente, com punhos doloridos e dedos dilacerados, desisti da luta sem esperança. A grade ressoou quando a soltei, e um instante mais tarde ouvi o arrastar dos chinelos turcos no corredor e a batida da porta distante. Depois, tudo ficou silencioso.

O animal não se movera nem uma vez durante esse tempo. Ficou deitado quieto no canto, e sua cauda cessara de se mexer. Essa aparição de um homem agarrando-se às suas barras e sendo arrastado aos gritos diante dele aparentemente o enchera de assombro. Vi seus grandes olhos me fitando fixamente. Eu tinha deixado a lanterna cair quando agarrei as barras, mas ela ainda ardia sobre o piso, e fiz um movimento para agarrá-la, com alguma ideia de que sua luz poderia me proteger. Mas, assim que me movi, a fera soltou um rosnado profundo e ameaçador. Parei e fiquei imóvel, todos os meus membros tremendo de medo. O gato (se podemos chamar uma criatura tão terrível com um nome tão simples) não estava a mais de três metros de mim. Os olhos brilhavam como dois discos de fósforo na escuridão. Eles me amedrontavam e não obstante me fascinavam. Eu não podia afastar meus próprios olhos deles. A Natureza nos prega estranhas peças nesses momentos de intensidade, e aquelas luzes trêmulas cresciam e minguavam com um aumento e diminuição constantes. Às vezes, eles pareciam ser dois minúsculos pontos de extremo brilho — como faíscas elétricas na negra escuridão —, depois, iam se ampliando cada vez mais até que aquele canto do aposento ficava cheio com sua luz cambiante e sinistra. E então, subitamente, eles se apagaram por completo.

A fera tinha fechado os olhos. Não sei se pode haver alguma verdade na velha ideia da dominância do olhar humano, ou se o enorme gato estava simplesmente sonolento, mas o fato é que, longe de mostrar qualquer indício de me atacar, ele simplesmente pousou a cabeça lisa, preta, sobre as enormes patas dianteiras e pareceu dormir. Fiquei parado, temendo me mover para não o despertar para sua vida maligna mais uma vez. Mas pelo menos eu era capaz de pensar claramente agora que os olhos funestos não estavam sobre mim. Cá estava eu, fechado com o animal feroz. Meus próprios instintos, para não dizer nada das palavras do enganador canalha que armara essa cilada para mim, advertiam-me que o animal era tão selvagem quanto seu dono. Como poderia afugentá-lo até a manhã? A porta era inútil, e assim também eram as janelas estreitas, gradeadas. Não havia nenhum abrigo no aposento nu, lajeado de pedras. Gritar por socorro era absurdo. Eu sabia que essa toca era uma dependência externa, e que o corredor que o ligava à casa tinha pelo menos trinta metros de comprimento. Além disso, com o vendaval estrondeando lá fora, não era provável que meus gritos fossem ouvidos. Eu tinha apenas minha própria coragem e minha própria presença de espírito em que confiar.

E, nesse momento, com uma nova onda de horror, meus olhos caíram sobre a lanterna. A vela havia se consumido, e já começava a derreter. Em dez minutos estaria apagada. Eu tinha somente dez minutos, portanto, para fazer alguma coisa, pois sentia que se fosse deixado no escuro com essa fera terrível, ficaria incapaz de qualquer ação. A mera ideia me paralisava. Lancei meus olhos desesperados ao redor dessa câmara de morte, e eles pousaram sobre um ponto que parecia prometer não direi segurança, mas perigo menos imediato e iminente que o piso desimpedido.

Eu disse que a jaula tinha uma cobertura, bem como uma frente, e essa cobertura era deixada imóvel quando a frente era enrolada através da fenda na parede. Ela consistia em barras separadas por intervalos de alguns centímetros, com resistente rede de arame entre elas, e ficava pousada sobre um forte pilar de cada lado. Erguia-se agora como uma grande cobertura com barras sobre a figura agachada no canto. O espaço entre essa prateleira de ferro e o teto era talvez de sessenta ou noventa centímetros. Se eu pudesse subir ali, espremido entre as barras e o teto, teria apenas um lado vulnerável. Ficaria a salvo a partir de baixo, a partir de trás, e a partir dos dois lados. Só a face aberta dele poderia ser atacada. Ali, é verdade, eu não tinha proteção nenhuma, mas pelo menos estaria fora do caminho do bruto quando ele começasse a andar por sua toca. Ele teria de sair do seu caminho para chegar a mim. Era agora ou nunca, pois uma vez que a luz se apagasse isso seria impossível. Com um nó na garganta, saltei, agarrei a borda de ferro da cobertura e me balancei arquejante sobre ela. Retorci-me para ficar com o rosto para baixo, e me vi olhando diretamente para os terríveis olhos e maxilares escancarados do gato. Seu hálito fétido me chegava ao rosto como o eflúvio de um urinol imundo.

Ele parecia, contudo, estar mais curioso que irritado. Com uma insinuante ondulação de suas costas longas e negras, levantou-se, esticou-se e em seguida erguendo-se sobre as patas traseiras, com uma pata dianteira contra a parede, levantou a outra e enfiou suas garras pelas malhas de arame embaixo de mim. Um gancho branco e afiado rasgou minhas calças — pois posso mencionar que ainda estava em traje de noite — e cavou um sulco em meu joelho. Isso não pretendia ser um ataque, mas antes um experimento, pois quando dei um grito agudo de dor ele voltou a cair e, saltando levemente para o aposento, começou a andar rapidamente em volta dele, olhando volta e meia na minha direção. De minha parte, arrastei-me para trás até ficar deitado com as costas contra a parede, me espremendo no menor espaço possível. Quanto mais eu me afastava, mais difícil era para ele me atacar.

Ele parecia mais excitado agora que começara a se mover, e correu rápida e silenciosamente ao redor da toca, passando continuamente sob o sofá de ferro sobre o qual eu me encontrava. Era maravilhoso ver um volume tão grande passando como uma sombra, mal se ouvindo o mais leve ruído das patas aveludadas. A vela queimava tão baixo que eu mal podia ver o animal. E em seguida, com um último clarão e crepitação, apagou-se por completo. Eu estava sozinho com o gato no escuro!

Ajuda-nos a encarar um perigo saber que fizemos tudo que podia ser feito. Resta apenas esperar tranquilamente o resultado. Nesse caso, não havia nenhuma chance de segurança em lugar algum, exceto no ponto preciso em que eu estava. Estiquei-me, portanto, e fiquei deitado em silêncio, quase sem respirar, esperando que a fera esquecesse minha presença se eu nada fizesse para lembrá-la. Avaliei que já deviam ser duas horas. Às quatro, o dia já teria raiado. Eu não tinha mais de duas horas para esperar a luz do dia.

Lá fora, a tempestade ainda se propagava, e a chuva açoitava continuamente as janelinhas. Dentro, o ar venenoso e fétido era esmagador. Eu não podia ouvir nem ver o gato. Tentava pensar em outras coisas — mas apenas uma tinha poder suficiente para arrancar minha mente de minha terrível situação. Era a contemplação da vilania de meu primo, sua hipocrisia sem paralelo, seu ódio maligno por mim. Debaixo daquele rosto alegre escondia-se o espírito de um assassino medieval. E à medida que eu pensava nisso, via mais claramente quão astutamente a coisa tinha sido arranjada. Ele tinha aparentemente ido para a cama com os outros. Sem dúvida tinha suas testemunhas para prová-lo. Então, sem que eles soubessem, havia deslizado para fora, atraíra-me para sua toca e me abandonara. Sua história seria tão simples. Ele me deixara na sala de bilhar para terminar meu charuto. Eu descera por minha conta para dar uma última olhada no gato. Tinha entrado no aposento sem observar que a jaula estava aberta, e tinha sido apanhado. Como poderia semelhante crime ser atribuído a ele? Suspeita, talvez — mas prova, nunca!

Como essas horríveis duas horas se passaram lentamente! Uma vez ouvi um som baixo, áspero, que supus ser da criatura lambendo seu próprio pelo. Várias vezes aqueles olhos esverdeados brilharam na minha direção através da escuridão, mas nunca num olhar fixo, e fortaleceu-se minha esperança de que minha presença tivesse sido esquecida ou ignorada. Finalmente a mais leve réstia de luz entrou pelas janelas — eu primeiro a vi como dois quadrados cinza sobre a parede preta, depois o cinza tornou-se branco, e pude ver meu terrível companheiro mais uma vez. E ele, ai de mim, pôde me ver!

Ficou evidente para mim de imediato que ele estava numa disposição de ânimo muito mais perigosa e agressiva do que quando eu o vira pela última vez. O frio da manhã o irritara, e ele estava com fome também. Com um contínuo rosnado, andava rapidamente para cima e para baixo no lado do aposento mais distante de meu refúgio, seus bigodes eriçando-se raivosamente, e sua cauda sacudindo-se e açoitando. Quando se virava nos cantos, seus olhos selvagens sempre se erguiam para mim com uma terrível ameaça. Eu sabia que ele pretendia me matar. No entanto, vi-me mesmo naquele momento admirando a graça sinuosa da coisa diabólica, seus movimentos longos, ondulantes, o brilho de seus belos flancos, o vívido e palpitante escarlate da língua brilhante que pendia do focinho preto retinto. E o tempo todo aquele profundo, ameaçador rosnado que se elevava incessantemente num ininterrupto crescendo. Eu sabia que a crise estava próxima.

Era uma hora miserável para enfrentar essa morte — com tanto frio, tão desconfortável, tremendo em minhas roupas leves sobre essa grelha de tormento sobre a qual estava estendido. Tentei me preparar para ela, elevar minha alma acima dela e, ao mesmo tempo, com a lucidez que se apossa de um homem inteiramente desesperado, olhei a meu redor à procura de algum meio possível de escapar. Uma coisa estava clara para mim. Se aquela frente da jaula estivesse apenas de volta em sua posição mais uma vez, eu poderia encontrar um refúgio seguro atrás dela. Conseguiria puxá-la de volta? Eu mal ousava me mexer com medo de trazer o animal para cima de mim. Devagar, muito devagar, estiquei a mão até que ela agarrou a borda da frente, a barra final que se salientava através da parede. Para minha surpresa, ela veio muito facilmente ao meu puxão. Evidentemente, a dificuldade de puxá-la para fora vinha do fato de que eu estava me segurando nela. Puxei de novo, e oito centímetros dela apareceram. Ela corria aparentemente sobre rodas, puxei de novo... e então o gato saltou!

Foi tão rápido, tão repentino, que não vi acontecer. Simplesmente ouvi o rosnado selvagem, e um instante depois os olhos amarelos chamejantes, a cabeça preta achatada com sua língua vermelha e dentes faiscantes, estavam ao meu alcance. O impacto do animal sacudiu as barras sobre as quais eu estava deitado, até que pensei (até onde podia pensar alguma coisa num tal momento) que elas estavam desabando. O gato oscilou ali por um momento, a cabeça e as patas dianteiras muito próximas de mim, as patas traseiras arranhando para encontrar uma pegada na borda da grade. Ouvi as garras raspando quando se seguravam na rede de arame, e o hálito da fera deixou-me nauseado. Mas seu salto tinha sido mal calculado. Ele não pôde conservar sua posição. Lentamente, arreganhando os dentes de raiva, e arranhando furiosamente as barras, oscilou para trás e caiu pesadamente no chão. Com um rosnado imediatamente me encarou e se agachou para um outro salto.

Eu sabia que os próximos instantes decidiriam o meu destino. O animal aprendera com a experiência. Não cometeria outro erro de cálculo. Eu tinha de agir prontamente, sem medo, se quisesse ter uma chance de viver. Num instante, tinha formado meu plano. Tirando minha casaca, lancei-a sobre a cabeça da fera. No mesmo instante, joguei-me por sobre a borda, agarrei a ponta da grade da frente, e puxei-a freneticamente da parede.

Ela veio mais facilmente do que eu teria esperado. Corri pelo aposento levando-a comigo; mas enquanto eu corria, o acidente de minha posição me pôs do lado de fora. Se tivesse sido o contrário, eu poderia ter escapado ileso. Tal como as coisas se passaram, houve um momento de pausa quando a detive e tentei passar pela abertura que tinha deixado. Esse momento foi suficiente para dar tempo ao animal de se livrar da casaca com que eu o cegara e saltar sobre mim. Arremessei-me através da brecha e puxei a grade para trás de mim, mas ele agarrou minha perna antes que eu tivesse podido retirá-la inteiramente. Um golpe daquela enorme pata me arrancou um naco da panturrilha assim como uma apara de madeira se enrola diante de uma plaina. No instante seguinte, sangrando e desfalecendo, eu estava deitado entre a palha fétida com uma linha de barras amigáveis entre mim e o animal que se lançava tão freneticamente contra elas.

Ferido demais para me mover, e fraco demais para ter consciência do medo, pude somente ficar deitado, mais morto que vivo, e observá-lo. Ele pressionava seu peito largo e preto contra as barras e se inclinava para mim com as patas encurvadas como vi um gatinho fazer diante de uma ratoeira. Rasgava a minha roupa, mas, por mais que se esticasse, não podia me alcançar. Eu ouvira falar sobre o curioso efeito entorpecedor produzido por ferimentos provocados pelos grandes carnívoros, e agora estava destinado a experimentá-lo, pois tinha perdido todo senso de personalidade, e estava interessado no fracasso ou sucesso do gato como se fosse um jogo a que estivesse assistindo. E então, pouco a pouco, minha mente foi se distanciando rumo a estranhos sonhos vagos, sempre com aquela cara preta e língua vermelha retornando a eles, e assim me perdi no nirvana do delírio, o abençoado alívio daqueles que são postos à prova de modo demasiado severo.

Seguindo o curso dos acontecimentos posteriores, concluo que devo ter estado inconsciente por cerca de duas horas. O que me despertou para a consciência mais uma vez foi o nítido clique metálico que tinha sido o precursor de minha terrível experiência. Era o retorno da fechadura de mola. Em seguida, antes que meus sentidos estivessem despertos o bastante para apreender inteiramente o que viam, tive consciência do rosto redondo e benevolente do meu primo olhando através da porta aberta. O que ele viu evidentemente o espantou. Lá estava o gato agachado no chão. Eu estava deitado de costas em mangas de camisa dentro da jaula, minhas calças em farrapos e uma grande poça de sangue à minha volta. Posso ver seu rosto assombrado agora, com a luz do sol da manhã batendo sobre ela. Ele olhou para mim, e olhou de novo. Depois, fechou a porta atrás de si e avançou para a jaula para ver se eu estava realmente morto.

Não posso prometer dizer o que aconteceu. Eu não estava em condições de testemunhar ou relatar tais eventos. Só posso dizer que subitamente tive consciência de que seu rosto se afastara de mim — de que ele olhava para o animal.

"Meu velho Tommy!", exclamou. "Meu velho Tommy!"

Aproximou-se então das barras, com as costas ainda viradas para mim.

"Abaixe-se, seu estúpido animal!", rugiu. "Abaixe-se, senhor! Não conhece seu amo?"

De repente, mesmo em meu cérebro confuso, veio uma lembrança daquelas palavras dele, quando dissera que o gosto de sangue transformaria o gato num demônio. Meu sangue o fizera, mas ele pagaria o preço.

Histórias de horror

"Vá embora!", ele gritou. "Vá embora, seu demônio! Baldwin! Baldwin! Oh, meu Deus!"

E então eu o ouvi cair, e levantar, e cair de novo, com um som como o rasgar de aniagem. Seus gritos foram ficando mais fracos até que se perderam no rosnado aflitivo. E então, depois que pensei que estava morto, vi, como num pesadelo, uma figura cegada, esfarrapada, ensanguentada correndo freneticamente pelo aposento — e esse foi o último relance que tive dele antes de desmaiar mais uma vez.

Passei muitos meses me recuperando — de fato, não posso dizer que algum dia me recuperei, pois até o fim de meus dias carregarei uma bengala como um sinal de minha noite com o gato brasileiro. Baldwin, o tratador, e os outros criados não puderam contar o que tinha ocorrido quando, atraídos pelos gritos de morte de seu patrão, me encontraram atrás das barras, e os restos dele — ou o que eles mais tarde descobriram serem seus restos — nas garras do animal que ele tinha criado. Eles o detiveram com ferros quentes, e depois atiraram nele através da fenda da porta, antes de poderem finalmente me libertar. Fui carregado para meu quarto, e lá, sob o teto de meu assassino potencial, permaneci entre a vida e a morte por várias semanas. Eles tinham mandado vir um cirurgião de Clipton e uma enfermeira de Londres, e em um mês pude ser levado até a estação e assim transportado de volta mais uma vez para Grosvenor Mansions.

Tenho uma lembrança dessa enfermidade, que poderia ter sido parte do panorama sempre cambiante evocado por um cérebro delirante, se não estivesse não definitivamente fixada em minha memória. Uma noite, quando a enfermeira estava ausente, a porta de meu quarto se abriu, e uma mulher alta, vestida com o mais negro luto, entrou de mansinho. Ela veio até mim e, quando inclinou seu rosto pálido, vi pela luz fraca do candeeiro que era a mulher brasileira com quem meu primo se casara. Ela olhou atentamente para meu rosto, e sua expressão estava mais bondosa do que eu jamais a vira.

"Está consciente?", perguntou.

Assenti debilmente — pois ainda estava muito fraco.

"Bem; então, eu só desejava dizer que só pode culpar a si mesmo. Não fiz tudo que podia pelo senhor? Desde o início, tentei afastá-lo da casa. Por todos os meios, exceto trair meu marido, tentei salvá-lo dele. Eu sabia que ele tinha uma razão para trazê-lo aqui. Sabia que nunca o deixaria ir embora novamente. Ninguém o conhecia como eu, a quem ele fizera sofrer tantas vezes. Eu não ousava lhe dizer tudo isso. Ele teria me matado. Mas fiz o que pude pelo senhor. No fim das contas, o senhor foi o melhor amigo que já tive. O senhor me libertou, e eu imaginava que nada, senão a morte, faria isso. Lamento que esteja ferido, mas não posso me censurar. Eu lhe disse que o senhor era um idiota, e o senhor foi um idiota." Ela se esgueirou do quarto, a mulher amarga, singular, que eu estava destinado a nunca mais ver. Com o que restou da propriedade do marido, ela voltou para sua terra natal, e ouvi dizer que mais tarde tomou o véu em Pernambuco.

Foi só algum tempo depois que eu tinha voltado para Londres que os médicos declararam que eu estava bem o suficiente para fazer negócios. Não foi uma permissão muito bem-vinda para mim, pois eu temia que isso seria o sinal para uma avalanche de credores, mas foi Summers, meu advogado, quem primeiro tirou proveito dela.

"Estou muito feliz por ver que vossa senhoria está muito melhor", disse ele. "Estive esperando um longo tempo para lhe oferecer minhas congratulações."

"O que está querendo dizer, Summers? Não é hora para brincadeira."

"Quero dizer o que estou dizendo", ele respondeu. "Faz seis semanas que você é lorde Southerton, mas temíamos que sua recuperação se atrasasse caso soubesse disso."

Lorde Southerton! Um dos pares mais ricos da Inglaterra! Eu não... Podia crer nos meus ouvidos. E então subitamente pensei no tempo que se passara, e em como ele coincidira com meus ferimentos.

"Então Lorde Southerton deve ter morrido mais ou menos ao mesmo tempo em que fui ferido?"

"A morte dele ocorreu naquele mesmo dia." Summers olhou fixamente para mim quando falei, e estou convencido — pois ele era um sujeito muito astuto — de que tinha adivinhado o que realmente acontecera. Ele se calou por um momento, como se esperasse uma confidência de mim, mas não pude ver o que se poderia ganhar expondo tamanho escândalo familiar.

"Sim, uma coincidência muito curiosa", ele continuou, com o mesmo olhar esperto. "Evidentemente, você tem conhecimento de que seu primo Everard King era o herdeiro seguinte às propriedades. Ora, se você em vez dele tivesse sido despedaçado por esse tigre, ou não importa o que fosse, então evidentemente ele seria lorde Southerton neste momento."

"Sem dúvida", eu disse.

"E ele se interessava tanto por isso", disse Summers. "Por acaso vim a saber que o criado do falecido lorde Southerton era pago por ele, e que ele costumava receber telegramas desse criado a intervalos de poucas horas para lhe dizer como lorde Southerton estava passando. Isso foi por volta da época em que você estava lá. Não é estranho que desejasse estar tão bem informado, uma vez que sabia que não era o herdeiro direto?"

"Muito estranho", eu disse. "E agora, Summers, se você me trouxer minhas faturas e um talão de cheques novo, vamos começar a pôr as coisas em ordem."

O funil de couro

1903

Meu amigo, Lionel Dacre, morava na Avenue de Wagram, Paris. Sua casa era aquela pequena, com os gradis de ferro e o terreno gramado na frente, do lado esquerdo quando passamos vindo do Arco do Triunfo. Imagino que ela estava lá muito antes que a avenida fosse construída, pois as telhas acinzentadas tinham manchas de líquens e as paredes, mofadas e descoloridas com a idade. Parecia uma casa pequena vista da rua, cinco janelas na frente, se me lembro bem, mas ela se aprofundava numa única longa câmara nos fundos. Era aqui que Dacre tinha aquela singular biblioteca de literatura ocultista, e as curiosidades fantásticas que serviam de hobby para ele mesmo e de diversão para seus amigos. Um homem rico de gostos refinados e excêntricos, ele tinha gasto grande parte de sua vida e fortuna reunindo o que era considerado uma incomparável coleção privada de obras talmúdicas, cabalísticas e mágicas, muitas delas de grande raridade e valor. Seus gostos pendiam para o maravilhoso e o monstruoso, e ouvi dizer que seus experimentos na direção do desconhecido ultrapassavam todos os limites da civilização e do decoro. Para seus amigos ingleses ele nunca aludia a esses assuntos, e assumia o tom do estudioso e virtuoso; mas um francês cujos gostos eram da mesma natureza me assegurou que os piores excessos da missa negra foram perpetrados naquele salão grande e alto, que é forrado com as estantes de seus livros e os estojos de seu museu.

A aparência de Dacre era suficiente para mostrar que seu profundo interesse por esses assuntos psíquicos era mais intelectual que espiritual. Não havia nenhum traço de ascetismo em seu rosto pesado, mas havia muita força mental em seu enorme crânio, em forma de domo, que se curvava para cima dentre seus cachos de cabelo que raleavam, como um pico nevado acima de sua franja de abetos. Seu conhecimento era maior que sua sabedoria, e seus poderes muito superiores a seu caráter. Os olhinhos brilhantes, profundamente enterrados em seu rosto carnudo, faiscavam com inteligência e uma incessante curiosidade pela vida, mas eram os olhos de um hedonista e um egoísta. Basta do homem, pois ele está morto agora, pobre diabo, morto no exato momento em que se havia assegurado de ter por fim descoberto o elixir da vida. Não é de seu caráter complexo que tenho de tratar, mas do estranhíssimo e inexplicável incidente que teve sua origem em minha visita a ele no início da primavera do ano de 1882.

Eu conhecera Dacre na Inglaterra, porque minhas pesquisas na Sala Assíria do Museu Britânico tinham sido conduzidas na época em que ele tentava estabelecer um significado místico e esotérico nas tabuinhas babilônias, e essa comunhão de interesses nos reunira. Comentários fortuitos haviam levado a conversas diárias, e estas a algo que beirava a amizade. Eu lhe prometera que em minha próxima viagem a Paris lhe faria uma visita. Na ocasião em que fui capaz de cumprir minha promessa, morava num chalé em Fontainebleau, e como os trens noturnos eram inconvenientes, ele me convidou para passar a noite em sua casa.

"Tenho somente aquele divã sobressalente", disse, apontando para um largo sofá em seu grande salão; "espero que consiga ficar confortável ali."

Era um quarto de dormir singular, com suas altas paredes de volumes marrons, mas não poderia haver mobília mais agradável para um rato de biblioteca como eu, e não há nenhum perfume tão agradável às minhas narinas quanto aquele débil e sutil fedor que vem de um livro antigo. Assegurei-lhe que não poderia desejar quarto mais encantador, e nenhum ambiente mais simpático.

"Se os acessórios não são nem convenientes nem convencionais, são ao menos dispendiosos", disse ele, olhando para as estantes à sua volta. "Gastei quase um quarto de milhão de dinheiro com esses objetos que o cercam. Livros, armas, gemas, talhas, tapeçarias, imagens — não há praticamente nada que não tenha sua história, e ela é geralmente uma história que merece ser contada."

Ele estava sentado, enquanto falava, de um lado da lareira aberta, e eu do outro. Sua mesa de leitura estava à sua direita, e a forte lâmpada sobre ela circundava-a com um círculo muito vívido de luz dourada. Um palimpsesto semienrolado jazia no centro, e em volta dele encontravam-se muitos artigos exóticos de bricabraque. Um destes era um grande funil, como os que são usados para encher pipas de vinho. Parecia feito de madeira preta, e orlado com latão descolorido.

"Isso é uma coisa curiosa", observei. "Qual é a história disso?"

"Ah!", disse ele, "essa é exatamente a pergunta que já tive oportunidade de fazer a mim mesmo. Eu daria muito para saber. Pegue-o em suas mãos e examine-o."

Fiz isso, e descobri que o que eu imaginara ser madeira era na realidade couro, embora a idade o tivesse ressecado, tornando-o de extrema dureza. Era um grande funil e poderia conter um quarto de galão quando cheio. O aro de latão rodeava a extremidade larga, mas a estreita também tinha uma ponta de metal.

"O que você pensaria dele?", perguntou Dacre.

"Eu imaginaria que pertenceu a algum taberneiro ou preparador de malte na Idade Média", respondi. "Vi na Inglaterra cântaros de couro do século XVII — '*black jacks*', como eles os chamavam — que eram da mesma cor e dureza deste funil."

"Eu me atreveria a dizer que a data seria mais ou menos a mesma", disse Dacre, "e, sem dúvida, também, era usado para encher um recipiente com líquido. Se minhas suspeitas estiverem

O funil de couro

corretas, contudo, era um taberneiro esquisito que o usava, e uma pipa muito singular que era cheia. Você não observa nada estranho no bico do funil?"

Quando o segurei à luz observei que num ponto cerca de doze centímetros acima da ponta de latão o pescoço estreito do funil de couro estava todo cortado e riscado, como se alguém o tivesse entalhado com uma faca cega. Somente nesse ponto a superfície totalmente preta se tornara áspera.

"Alguém tentou cortar o pescoço fora."

"Você chamaria isso de corte?"

"Está rasgado e lacerado. Deve ter sido necessária alguma força para deixar essas marcas nesse material tão duro, qualquer que possa ter sido o instrumento. Mas o que você pensa dele? Posso perceber que sabe mais do que diz."

Dacre sorriu, e seus olhinhos faiscaram com conhecimento.

"Você incluiu a psicologia dos sonhos entre seus estudos eruditos?", ele perguntou.

"Eu sequer sabia que havia tal psicologia."

"Meu caro senhor, aquela prateleira acima do estojo de gemas está cheia de volumes, de Albertus Magnus em diante, que não tratam de nenhum outro assunto. É uma ciência em si mesma."

"Uma ciência de charlatões!"

"O charlatão é sempre o pioneiro. Do astrólogo veio o astrônomo, do alquimista o químico, do mesmerista o psicólogo experimental. O curandeiro de ontem é o professor de amanhã. Mesmo essas coisas sutis e elusivas como sonhos serão com o tempo reduzidas a sistema e ordem. Quando esse tempo chegar as pesquisas de nossos amigos na prateleira acolá não serão mais a diversão do místico, mas os fundamentos de uma ciência."

"Supondo que seja assim, que tem a ciência dos sonhos a ver com um funil grande, preto e orlado de latão?"

"Vou lhe contar. Você sabe que tenho um agente que está sempre à espreita de raridades e curiosidades para minha coleção. Alguns dias atrás ele ouviu falar de um comerciante num dos cais que tinha adquirido umas velharias encontradas num guarda-louça numa casa antiga nos fundos da Rue Mathurin, no Quartier Latin. A sala de jantar dessa velha casa é decorada com um brasão, asnas e barras vermelhas sobre um campo de prata, que provou, a uma investigação, ser o escudo de Nicholas de la Reynie, um alto funcionário do rei Luís XIV. Não há dúvida de que os outros artigos no guarda-louça remontam aos primeiros dias daquele rei. A inferência é, portanto, que eles eram propriedade desse Nicholas de la Reynie, que era, segundo entendo, o cavalheiro diretamente encarregado da manutenção e execução das leis draconianas da época."

"E então?"

"Eu lhe pediria agora que pegue o funil em suas mãos mais uma vez e examine o aro de latão superior. Consegue distinguir algo escrito nele?"

Havia certamente alguns riscos nele, quase obliterados pelo tempo. O efeito geral era de várias letras, a última das quais tinha alguma semelhança com um B.

"Você distingue um B?"

"Sim, distingo."

"Eu também. De fato, não há absolutamente nenhuma dúvida de que é um B."

"Mas o nobre que você mencionou teria um R como sua inicial."

"Exatamente! Essa é a beleza da coisa. Ele possuía esse curioso objeto, entretanto tinha as iniciais de outra pessoa nele. Por que fazia isso?"

"Não posso imaginar; você pode?"

"Bem, eu poderia, talvez, conjecturar. Você observa algo desenhado um pouco mais longe no aro?"

"Eu diria que é uma coroa."

"É indubitavelmente uma coroa; mas se você a examinar numa boa luz, vai se convencer de que não é uma coroa comum. É uma coroa heráldica — uma insígnia de posição, e ela consiste numa alternância de quatro pérolas e folhas de morango, a insígnia própria de um marquês. Podemos inferir, portanto, que a pessoa cujas iniciais terminam em B tinha direito a usar essa pequena coroa."

"Então este funil de couro pertence a um marquês?"

Dacre abriu um sorriso peculiar.

"Ou a algum membro da família de um marquês", disse. "É o que deduzimos claramente desse aro gravado."

"Mas que tem tudo isso a ver com sonhos?" Não sei se foi a partir de um olhar para o rosto de Dacre, ou de alguma sugestão sutil em suas maneiras, mas uma sensação de repulsa, de horror irracional, apossou-se de mim enquanto eu olhava para o velho pedaço de couro torcido.

"Mais de uma vez recebi informação importante por meio de meus sonhos", disse meu companheiro da maneira didática que ele gostava de afetar. "Tornei uma regra agora, quando estou em dúvida em relação a qualquer ponto material, colocar o artigo em questão ao meu lado enquanto durmo e esperar algum esclarecimento. O processo não me parece muito obscuro, embora ainda não tenha recebido a bênção da ciência ortodoxa. Segundo minha teoria, qualquer objeto que tenha estado intimamente associado com qualquer paroxismo supremo da emoção humana, quer seja alegria ou dor, conservará certa atmosfera ou associação que é capaz de se comunicar a uma mente sensível. Por mente sensível não me refiro a uma mente anormal, mas a uma mente treinada e instruída como você ou eu possuímos."

"Você quer dizer, por exemplo, que se eu dormisse ao lado daquela velha espada na parede, poderia sonhar com algum incidente sangrento em que essa mesma espada tomou parte?"

"Um excelente exemplo, pois, na realidade, essa espada foi usada dessa maneira por mim, e vi em meu sonho a morte de seu dono, que pereceu numa vigorosa escaramuça, que não fui capaz de identificar, mas que ocorreu na época das guerras dos frondistas. Se você pensar nisso, algumas de nossas observâncias populares mostram que o fato já era reconhecido por nossos ancestrais, embora nós, em nossa sabedoria, o tenhamos classificado entre superstições."

"Por exemplo?"

"Bem, pôr o bolo de noiva embaixo do travesseiro para que a pessoa adormecida tenha sonhos agradáveis. Esse é um dos vários exemplos que você encontrará descritos numa pequena brochura que estou eu mesmo escrevendo sobre o assunto. Mas para voltar ao ponto, dormi uma noite com esse funil ao meu lado, e tive um sonho que certamente lança uma luz curiosa sobre seu uso e origem."

"O que você sonhou?"

"Sonhei..." Ele fez uma pausa, e uma intensa expressão de interesse apareceu em seu enorme rosto. "Por Deus, isso é bem pensado", disse. "Esse realmente será um experimento extremamente interessante. Você mesmo é um sujeito psíquico — com nervos que reagem prontamente a qualquer impressão."

"Nunca me testei nessa direção."

"Então nós o poremos à prova esta noite. Poderia eu lhe pedir como um grande favor, quando você ocupar este sofá hoje à noite, que durma com esse velho funil colocado ao lado de seu travesseiro?"

Esse me pareceu um pedido grotesco; mas eu mesmo tenho, em minha complexa natureza, uma ânsia por tudo que é bizarro e fantástico. Eu não tinha a mais leve crença na teoria de Dacre, nem qualquer esperança de sucesso em semelhante experimento, apesar disso me divertia que ele fosse realizado. Dacre, com grande seriedade, formou um pequeno suporte na cabeceira de meu sofá e colocou o funil sobre ele. Em seguida, após uma breve conversa, desejou-me boa noite e deixou-me.

Passei algum tempo sentado fumando junto ao fogo lento, revirando em minha mente o curioso incidente que tinha ocorrido e a estranha experiência que poderia se desenrolar diante de mim. Embora eu fosse cético, havia algo impressionante na convicção das maneiras de Dacre, e meu extraordinário ambiente, a enorme sala com os objetos estranhos e muitas vezes sinistros pendurados ao redor, infundia solenidade em minha alma. Finalmente, despi-me e, desligando a lâmpada, deitei-me. Após me remexer por muito tempo, adormeci. Deixe-me tentar descrever tão acuradamente quanto posso a cena que veio a mim em meus sonhos. Ela se destaca agora em minha memória mais claramente que qualquer coisa que eu tenha visto com meus olhos despertos. Havia uma sala que se assemelhava a uma câmara mortuária. Quatro tímpanos saídos dos cantos corriam para o alto para se unir a um teto pontiagudo, em forma de taça. A arquitetura era tosca, mas muito forte. Era evidentemente parte de uma grande construção.

Três homens de preto, com curiosos chapéus de veludo preto desproporcionalmente pesados no topo, sentavam-se numa linha sobre um estrado atapetado de vermelho. Seus semblantes eram muito solenes e tristes. À esquerda postavam-se dois homens com longas becas e pastas nas mãos, que pareciam estar repletas de papéis. À direita, olhando para mim, estava uma mulher miúda de cabelo louro e olhos singulares, azul-claros — os olhos de uma criança. Ela havia deixado sua primeira juventude para trás, mas ainda não podia ser considerada de meia-idade. Sua figura pendia para a corpulência e seu porte era orgulhoso e confiante. Seu rosto era pálido, mas sereno. Era um rosto curioso, gracioso, mas felino, com uma sutil sugestão de crueldade na boca pequena, reta e forte e no queixo gordinho. Vestia uma espécie de bata branca, folgada. Ao lado dela encontrava-se um sacerdote magro, ansioso, que sussurrava em seu ouvido e levantava continuamente um crucifixo diante de seus olhos. Ela virava a cabeça e olhava fixo além do crucifixo para os três homens de preto, que eram, tive impressão, seus juízes.

Enquanto eu olhava os três homens se levantaram e disseram alguma coisa, mas não consegui discernir palavra alguma, embora percebesse que era o do centro que falava. Eles então deixaram o recinto com arrogância, seguidos pelos dois homens com os papéis. No mesmo instante vários sujeitos de aparência rude em resistentes gibões entraram alvoroçados e removeram primeiro o tapete vermelho e depois as tábuas que formavam o estrado, de modo a esvaziar inteiramente a sala. Quando esse biombo foi removido eu vi alguns móveis singulares atrás dele. Um parecia uma cama com rolos de madeira em cada ponta, e uma manivela para regular sua altura. Outro era um cavalo de madeira. Havia vários outros objetos curiosos, e uma porção de cordas oscilantes que ondulavam sobre as polias. Não era muito diferente de um ginásio moderno.

Depois que a sala foi esvaziada, apareceu uma nova figura na cena. Era uma pessoa alta, magra, vestida de preto, com um rosto macilento e austero. O aspecto do homem me fez estremecer. Todas as suas roupas eram brilhantes de gordura e mosqueadas de manchas. Ele se portava com uma lenta e impressionante altivez, como se tivesse assumido o comando de todas as coisas desde o instante de sua entrada.

Apesar de sua aparência rude e roupa sórdida, agora era seu assunto, sua sala, que cabia a ele comandar. Ele carregava um rolo de cordas leves sobre seu antebraço esquerdo. A mulher fitou-o de alto a baixo com um olhar incisivo, mas sua expressão ficou inalterada. Ela estava confiante — até desafiadora. Mas foi muito diferente com o padre. O rosto dele estava lividamente branco, e vi a umidade brilhar e escorrer em sua testa alta, inclinada. Ele levantou as mãos em oração e se curvava continuamente para murmurar palavras frenéticas no ouvido da dama.

O homem de preto agora avançou e pegando uma das cordas de seu braço esquerdo, atou as mãos da mulher. Ela as estendeu docilmente adiante enquanto ele o fazia. Depois, o homem agarrou rudemente o braço dela e levou-a em direção ao cavalo de madeira, que era um pouco mais alto que a cintura dela. Em seguida, ela foi levantada e deitada de costas sobre ele, com o rosto voltado para o teto, enquanto o padre, tremendo de horror, saíra correndo da sala. Os lábios da mulher moviam-se rapidamente e, embora não pudesse ouvir nada, eu sabia que ela estava rezando. Seus pés pendiam de ambos os lados do cavalo, e vi que os grosseiros criados presentes tinham amarrado cordas em seus tornozelos e prendido as outras pontas em argolas de ferro no chão de pedra.

O desalento tomou conta de mim quando vi esses agourentos preparativos, no entanto estava tomado pelo fascínio do horror, e não conseguia tirar os olhos do estranho espetáculo. Um homem tinha entrado na sala com um balde d'água em cada mão. Um outro o seguiu com um terceiro balde. Eles foram pousados ao lado do cavalo de madeira. O segundo homem tinha um colherão de madeira — uma tigela com um cabo reto — em sua outra mão. Ele o entregou para o homem de preto. No mesmo momento um dos criados se aproximou com um objeto escuro na mão, que mesmo em meu sonho encheu-me com uma vaga sensação de familiaridade. Era um funil de couro. Com horrível energia ele o enfiou — mas não pude aguentar mais. Meu cabelo arrepiou de horror. Contorci-me, lutei, rompi os grilhões do sono, e penetrei com um grito em minha própria vida, e me encontrei deitado, tremendo de terror, na enorme biblioteca, com a luz do luar jorrando pela janela e projetando estranhos arabescos negros e prateados sobre a parede oposta. Oh, que abençoado alívio sentir que estava de volta ao século xix — de volta daquela câmara mortuária medieval para um mundo onde os homens tinham corações humanos dentro de seus peitos. Sentei-me em meu sofá, todos os meus membros tremendo, minha mente dividida entre gratidão e horror. Pensar que tais coisas foram feitas algum dia — que elas podiam ser feitas sem que Deus golpeasse de morte os patifes. Era tudo isso uma fantasia, ou representava realmente algo que tinha acontecido nos dias sombrios, cruéis, da história do mundo? Enterrei minha cabeça latejante nas minhas mãos trêmulas. E então, de repente, meu coração pareceu parar em meu peito, e não pude nem gritar, tão grande era meu terror. Alguma coisa avançava em direção a mim através da escuridão da sala.

É um horror que sobrevém sobre um horror que destrói o espírito de um homem. Eu não conseguia raciocinar, não conseguia rezar; pude apenas ficar sentado como uma imagem congelada e fulminar com os olhos a figura escura que se aproximava pela grande sala. E então ela se moveu para dentro da senda branca da luz do luar, e respirei mais uma vez. Era Dacre, e seu rosto mostrava que ele estava tão assustado quanto eu.

"Foi você? Pelo amor de Deus, o que aconteceu?", perguntou ele com uma voz rouca.

"Oh, Dacre, estou contente por vê-lo! Estive no inferno. Foi horrível."

O funil de couro

"Então foi você que gritou?"

"Suponho que sim."

"Ressoou pela casa toda. Os criados estão apavorados." Ele riscou um fósforo e acendeu a lâmpada. "Penso que podemos fazer o fogo arder de novo", acrescentou, jogando algumas toras sobre as brasas. "Valha-me Deus, meu querido amigo, como você está branco! Parece que viu um fantasma."

"Vi mesmo... vários fantasmas."

"O funil de couro funcionou, então?"

"Eu não voltaria a dormir perto da coisa infernal por todo o dinheiro que você pudesse me oferecer."

Dacre deu uma risadinha.

"Eu esperava que você teria uma noite animada com ele", disse. "Você a tirou de mim em troca, pois aquele seu grito não foi um som muito agradável às duas da madrugada. Suponho, pelo que diz, que viu todo o terrível caso."

"Que terrível caso?"

"A tortura da água — a 'Questão Extraordinária' como ela era chamada nos agradáveis dias de 'Le Roi Soleil'". Você suportou até o fim?"

"Não, graças a Deus, acordei antes que começasse de fato."

"Ah! Tanto melhor para você. Eu aguentei até o terceiro balde. Bem, é uma velha história, e, de todo modo, eles estão todos em seus túmulos agora, então que importa como chegaram lá? Suponho que você não faça a menor ideia do que foi que viu, não é?"

"A tortura de alguma criminosa. Ela deve ter sido de fato uma terrível malfeitora se seus crimes estiverem em proporção com sua pena."

"Bem, temos esse pequeno consolo", disse Dacre, enrolando seu roupão em torno de si e se agachando mais perto do fogo. "Eles estavam em proporção com sua pena. Isto é, se estou correto quanto à identidade da dama."

"Como é possível que você conheça sua identidade?"

Em resposta, Dacre tirou um velho volume forrado de velino da estante.

"Apenas ouça isto", disse; "está em francês do século XVII, mas farei uma tradução aproximada à medida que avançar. Você julgará por si mesmo se decifrei o enigma ou não.

"'A prisioneira foi levada perante as Grandes Câmaras e Tournelles do Parlamento, atuando como um tribunal de justiça, acusada do assassinato do senhor Dreux d'Aubray, seu pai, e de seus dois irmãos, srs. d'Aubray, um deles sendo tenente civil e o outro conselheiro do Parlamento. Em pessoa, parecia difícil acreditar que ela tinha realmente cometido esses atos cruéis, pois era de aparência suave, e de baixa estatura, com uma pele clara e olhos azuis. No entanto, o Tribunal, tendo-a julgado culpada, condenou-a à questão ordinária e à extraordinária de modo que ela pudesse ser forçada a nomear seus cúmplices, após o que deveria ser conduzida numa carroça à Place de Grève, para ali ter sua cabeça cortada, seu corpo sendo mais tarde queimado e suas cinzas espalhadas aos ventos.'

"A data deste registro é 16 de julho de 1676."

"É interessante", eu disse, "mas não convincente. Como prova que as duas mulheres são a mesma?"

"Chegarei a isso. A narrativa prossegue para falar do comportamento da mulher quando questionada. 'Quando o carrasco se aproximou, ela o reconheceu pelas cordas que ele segurava nas mãos, e de imediato estendeu suas próprias mãos para ele, fitando-o da cabeça aos pés sem pronunciar uma palavra.' Que tal isto?"

"Sim, foi assim."

"'Ela olhou sem piscar para o cavalo de madeira e os anéis que tinham torcido tantos membros e provocado tantos gritos de agonia. Quando seus olhos caíram sobre os três baldes de água, que estavam todos prontos para ela, disse com um sorriso, "Toda essa água deve ter sido trazida para cá para a finalidade de me afogar, monsieur. O senhor não tem nenhuma intenção, acredito, de fazer uma pessoa de minha pequena estatura engolir isso tudo.'" Devo ler os detalhes da tortura?"

"Não, pelo amor de Deus, não leia."

"Aqui está uma frase que deverá certamente lhe mostrar que o que está aqui registrado é a própria cena que você contemplou esta noite: 'O bom abade Pirot, incapaz de contemplar as agonias que eram sofridas por sua penitente, saíra correndo da sala.' Isto o convence?"

"Convence inteiramente. Não pode haver dúvida de que se trata de fato do mesmo evento. Mas quem, então, é essa dama cuja aparência era tão atraente e cujo fim foi tão horrível?"

Por resposta, Dacre aproximou-se de mim e pôs sobre a mesa a pequena lâmpada que ficava ao lado de minha cama. Erguendo o nefasto funil, ele virou o aro de latão de modo que a luz caísse de cheio sobre ele. Vista dessa maneira a gravação parecia mais clara que na noite anterior.

"Já concordamos que esta é a insígnia de um marquês ou de uma marquesa", disse ele. "Estabelecemos também que a última letra é b."

"É indubitavelmente assim."

"Agora eu lhe sugiro que as outras letras da esquerda para a direita são, m, m, um pequeno d, a, um pequeno d, e depois o b final."

"Sim, tenho certeza de que você está certo. Posso distinguir os dois pequenos ds muito claramente."

"O que li para você esta noite", disse Dacre, "é o registro oficial do julgamento de Marie Madeleine d'Aubray, marquesa de Brinvilliers, uma das mais famosas envenenadoras e assassinas de todos os tempos."

Fiquei em silêncio, esmagado ante a natureza extraordinária do incidente, e a suficiência da prova com que Dacre expusera seu real significado. De uma maneira vaga lembrei-me de alguns detalhes da carreira da mulher, sua devassidão desenfreada, a tortura a sangue frio e prolongada de seu pai doente, o assassinato de seus irmãos por motivos de ganhos mesquinhos. Lembrei-me também que a coragem de seu fim fizera alguma coisa para expiar o horror de sua vida, e que toda Paris se compadecera de seus últimos momentos, e a abençoara como uma mártir poucos dias depois do momento em que a havia amaldiçoado como uma assassina. Uma objeção, e somente uma, ocorreu à minha mente.

"Como suas iniciais e sua insígnia de posição apareceram no funil? Com certeza eles não levavam sua homenagem medieval à nobreza até o ponto de decorar instrumentos de tortura com seus títulos, não é?"

"Fiquei intrigado com o mesmo ponto", disse Dacre, "mas ele admite uma explicação simples. O caso despertou um extraordinário interesse na época, e nada poderia ser mais natural do que La Reynie, o chefe da polícia, desejar conservar esse funil como uma soturna lembrança. Não era todo dia que uma marquesa de França era submetida à questão extraordinária. Que ele mandasse gravar as iniciais dela nele para a informação de outros foi certamente um procedimento muito comum de sua parte."

"E isto?", perguntei, apontando para as marcas no pescoço de couro.

"Ela era uma tigresa cruel", disse Dacre, afastando-se. "Penso que é evidente que, como outras tigresas, seus dentes eram tão fortes quanto afiados."

O terror da Fenda de Blue John
1910

A narrativa que se segue foi encontrada entre os papéis do dr. James Hardscatle, que morreu de tísica no dia 4 de fevereiro de 1908, em Upper Coventry Flats, 36, South Kensington. Os que o conheciam melhor, embora se recusando a expressar uma opinião sobre essa declaração particular, são unânimes em afirmar que ele era um homem de inclinação sóbria e científica, absolutamente desprovido de imaginação, e que muito improvavelmente inventaria qualquer série anormal de eventos. O artigo estava contido num envelope, que trazia o rótulo, "Um breve relato das circunstâncias que ocorreram perto da fazenda da srta. Allerton no Noroeste de Derbyshire na primavera do ano passado". O envelope estava fechado e do outro lado estava escrito a lápis...

CARO SEATON,
Pode interessar-lhe, e talvez entristecê-lo, saber que a incredulidade com que ouviu minha história impediu-me de voltar a abrir minha boca sobre o assunto. Deixo este registro após a minha morte, e talvez se descubra que estranhos têm mais confiança em mim que meu amigo.

A investigação não conseguiu apurar quem pode ter sido esse Seaton. Posso acrescentar que a visita do falecido à fazenda de Allerton e a natureza geral do alarme ali, afora esta explicação particular, foi absolutamente estabelecida. Com este preâmbulo, anexo seu relato exatamente como ele o deixou. Está na forma de um diário, com algumas anotações em forma expandida, ao passo que outras foram apagadas.

17 de abril. — Já sinto o benefício deste maravilhoso ar da região montanhosa. A fazenda das Allerton situa-se 432 metros acima do nível do mar, portanto é muito provável que seja um clima revigorante. Além da tosse matutina habitual, sinto muito pouco desconforto, e, por causa do leite fresco e da carne de carneiro caseira, tenho todas as chances de ganhar peso. Penso que Saunderson ficará satisfeito.

As duas srtas. Allerton são encantadoramente graciosas e gentis, duas queridas solteironas que trabalham arduamente e estão dispostas a prodigalizar todo o coração que poderia ter sido dedicado a marido e filhos a um estranho inválido. De fato, a velha solteirona é uma pessoa muito útil, uma das forças de reserva da comunidade. Fala-se da mulher supérflua, mas o que faria o pobre homem supérfluo sem sua bondosa presença? A propósito, em sua simplicidade elas revelaram muito rapidamente a razão pela qual Saunderson recomendou a fazenda delas. O professor veio ele próprio de baixo, e acredito que em sua juventude não estava acima de assustar corvos nestes mesmos campos.

É um local muito isolado, e as caminhadas são extremamente pitorescas. A fazenda consiste em pastagens situadas no fundo de um vale irregular. De cada lado estão os fantásticos morros de calcário, formados de pedra tão mole que podemos quebrá-la com as mãos. Toda esta região é oca. Se pudéssemos golpeá-la com um martelo gigantesco, ela ressoaria como um tambor, ou possivelmente desmoronaria por completo e exibiria um enorme mar subterrâneo. Deve ser certamente um grande mar, pois por todos os lados os riachos penetram na própria montanha, para nunca reaparecer. Há fendas em toda parte em meio às rochas, e quando passamos por elas nos encontramos em grandes cavernas, que se afundam até as entranhas da terra. Tenho uma pequena lâmpada de bicicleta, e é uma perpétua alegria para mim carregá-la para esses estranhos ermos, e ver o maravilhoso efeito prata e negro quando jogo sua luz sobre as estalactites que ornam os tetos elevados. Apague a lâmpada, e você está na mais negra escuridão. Acenda-a, e é uma cena das *Mil e uma noites*.

Mas dessas estranhas aberturas na terra há uma que revela especial interesse, pois ela é a obra, não da natureza, mas do homem. Eu nunca tinha ouvido falar de Blue John quando cheguei a estas partes. É o nome dado a um mineral peculiar de uma bonita cor púrpura, que só é encontrado em um ou dois lugares no mundo. Ele é tão raro que um vaso comum de Blue John seria avaliado a um grande preço. Os romanos, com aquele extraordinário instinto que possuíam, descobriram que ele podia ser encontrado neste vale, e cavaram um profundo poço horizontal no flanco da montanha. A abertura de sua mina foi chamada Fenda de Blue John, um arco bem definido na rocha, a boca toda coberta de arbustos. É uma considerável galeria que os mineiros romanos cortaram, e ela cruza algumas grandes cavernas cavadas pela água, de modo que se você entra na Fenda de Blue John, faria bem em marcar seus passos e ter uma boa provisão de velas, ou poderá jamais encontrar seu caminho de volta à luz do dia novamente. Ainda não avancei profundamente nela, mas hoje mesmo me postei na boca do túnel arqueado, e perscrutando os recessos negros mais adiante, jurei que quando minha saúde retornasse eu iria dedicar algum feriado a explorar essas misteriosas profundezas e descobrir por mim mesmo até onde os romanos haviam penetrado nos morros de Derbyshire.

É estranho como esses camponeses são supersticiosos! Eu teria tido o jovem Armitage em mais alta conta, pois ele é um homem de alguma educação e caráter, e um excelente sujeito para sua posição social. Eu estava parado na Fenda de Blue John quando ele atravessou o campo na minha direção.

O terror da Fenda de Blue John

"Bem, doutor", disse ele, "o senhor não está com medo, de qualquer modo."

"Com medo!", respondi. "Com medo do quê?"

"Dele", respondeu, com um movimento abrupto de seu polegar em direção à abóbada negra, "do Terror que vive na Caverna de Blue John".

Como é absurdamente fácil que uma lenda surja numa região rural isolada! Eu o questionei quanto às razões de sua estranha crença. Parece que de vez em quando desaparecem carneiros dos campos, levados fisicamente embora, segundo Armitage. Que eles poderiam ter se afastado por vontade própria e desaparecido entre as montanhas foi uma explicação a qual ele não quis dar ouvidos. Numa ocasião, uma poça de sangue tinha sido encontrada, e alguns tufos de lã. Isso também, eu ressaltei, podia ser explicado de uma maneira perfeitamente natural. Além disso, as noites em que cordeiros desapareciam eram invariavelmente muito escuras, noites nubladas sem nenhuma lua. Isso eu rebati com a óbvia réplica de que essas eram naturalmente as noites em que um ladrão de ovelhas comum escolheria para seu trabalho. Certa vez, fora feito um buraco num muro, e algumas das pedras tinham sido espalhadas a uma considerável distância. Atividade humana novamente, em minha opinião. Finalmente, Armitage encerrou todos os seus argumentos contando-me que tinha realmente ouvido a Criatura — de fato, que qualquer pessoa que se demorasse por tempo suficiente na Fenda podia ouvi-la. Era um rugido distante de imenso volume. Não pude senão sorrir a isso, conhecendo, como conheço, as estranhas reverberações que saem de um sistema aquático subterrâneo que corre em meio aos abismos de uma formação de calcário. Minha incredulidade aborreceu Armitage de modo que ele se virou e me deixou de forma um tanto abrupta.

E agora vem o ponto esquisito de toda a história. Eu ainda estava parado perto da boca da caverna revirando em minha em mente as várias declarações de Armitage, e refletindo sobre quão facilmente elas podiam ser explicadas, quando de repente, do fundo do túnel ao meu lado, saiu um som dos mais extraordinários. Como o descreverei? Em primeiro lugar, pareceu ser muito distante, muito fundo nas entranhas da terra. Em segundo lugar, apesar dessa sugestão de distância, foi muito alto. Por fim, não foi um estrondo, nem uma colisão, tal como poderíamos associar com água caindo ou rocha se revolvendo, mas um alto queixume, trêmulo e vibrante, quase como o relincho de um cavalo. Foi certamente uma experiência das mais extraordinárias, e que por um momento, devo admitir, conferiu um novo significado às palavras de Armitage. Esperei junto à Fenda de Blue John por meia hora ou mais, mas não houve nenhum retorno do som, assim finalmente regressei à sede da fazenda, bastante desconcertado com o que tinha acontecido. Decididamente, irei explorar essa caverna quando minha força estiver restaurada. A explicação de Armitage, é claro, é absurda demais para ser discutida, no entanto aquele som foi certamente muito estranho. Ele ainda ressoa em meus ouvidos enquanto escrevo.

20 de abril. — Nos últimos três dias, fiz várias expedições à Fenda de Blue John, e cheguei até a penetrar por uma curta distância, mas a lanterna de minha bicicleta é tão pequena e fraca que não ouso ir muito longe. Farei as coisas mais sistematicamente. Não ouvi absolutamente nenhum som, e quase pude acreditar que eu tinha sido vítima de alguma alucinação sugerida, talvez, pela conversa de Armitage. Toda a ideia é absurda, é claro, mas devo confessar que aqueles arbustos na entrada da caverna dão de fato a impressão de que uma criatura pesada tinha forçado passagem através deles. Começo a ficar intensamente interessado. Não disse nada às senhoritas Allerton, pois elas já são muito supersticiosas, mas comprei algumas velas e pretendo investigar por mim mesmo.

Observei esta manhã que entre os numerosos tufos de lã de carneiro que se veem entre os arbustos perto da caverna, havia um que estava manchado de sangue. Minha razão me diz, é claro, que se carneiros perambulam por esses lugares rochosos, eles estão propensos a se ferir; apesar disso, de certa forma, aquele borrifo de carmim me provocou um súbito choque, e por um momento me vi recuando horrorizado ante o antigo arco romano. Um hálito fétido parecia exsudar das negras profundezas que eu perscrutava. Poderia realmente ser possível que alguma coisa sem nome, uma presença pavorosa, estivesse se escondendo lá embaixo? Eu teria sido incapaz desses sentimentos nos dias de meu vigor, mas ficamos mais nervosos e fantasiosos quando nossa saúde está abalada.

Por um momento enfraqueci em minha resolução, e estava disposto a abandonar o segredo da velha mina, se é que existe um segredo. Mas esta noite meu interesse retornou e meus nervos ficaram mais estáveis. Confio que amanhã terei ido mais a fundo nesse assunto.

22 de abril. — Deixe-me tentar registrar o mais precisamente possível minha extraordinária experiência de ontem. Parti à tarde e dirigi-me para a Fenda de Blue John. Confesso que minhas apreensões retornaram quando olhei para suas profundezas, e desejei ter levado um companheiro para compartilhar minha exploração. Finalmente, com um retorno da decisão, acendi minha vela, abri caminho pelas urzes, e desci pelo poço rochoso.

Ele afundava num ângulo agudo por cerca de quinze metros, o chão estando coberto de pedras quebradas. Dali em diante, estendia-se um corredor comprido, reto, cortado na rocha sólida. Não sou geólogo, mas o revestimento desse corredor era certamente de algum material mais duro que calcário, pois havia pontos em que eu podia realmente ver as marcas de ferramentas que os antigos mineiros haviam deixado em sua escavação, tão frescas como se tivessem sido feitas ontem. Percorrendo esse estranho corredor do velho mundo, tropecei, minha débil chama lançando um pálido círculo de luz à minha volta, o que tornou as sombras mais adiante ainda mais ameaçadoras e obscuras. Finalmente, cheguei a um ponto em que o túnel romano se abria numa caverna cavada pela água — um enorme salão, em que pendiam longos sincelos brancos de depósito de cal. A partir dessa câmara central pude perceber vagamente que várias passagens cavadas por riachos subterrâneos penetravam serpenteando nas profundezas da terra. Eu estava parado ali me perguntando se seria melhor retornar, ou se ousava me aventurar mais longe nesse perigoso labirinto, quando meus olhos caíram sobre algo a meus pés que deteve fortemente minha atenção.

A maior parte do piso da caverna estava coberta com pedras grandes ou com duras incrustações de cal, mas nesse ponto particular tinha ocorrido um gotejamento do teto distante, que deixara uma pequena área de barro mole. No centro mesmo desta, havia uma enorme marca — um borrão mal definido, largo e irregular, como se uma grande pedra tivesse caído sobre ele. No entanto, não se via nenhuma pedra solta por perto, nem havia coisa alguma para explicar a impressão. Ela era grande demais para ter sido causada por qualquer animal possível e, além disso, havia somente aquela, e a área de lama era de um tamanho tal que nenhuma passada razoável poderia tê-la coberto. Quando me levantei após o exame dessa marca singular e então olhei em volta para as sombras negras que me cercavam, devo confessar que senti por um momento um aperto muito desagradável em meu coração, e que, não importa o que eu fizesse, a vela tremia em minha mão estendida.

Logo recobrei meus nervos, contudo, ao refletir sobre como era absurdo associar uma marca tão enorme e irregular com a pegada de qualquer animal conhecido. Nem um elefante poderia tê-la produzido. Decidi, portanto, que não iria ser demovido por medos vagos e disparatados de levar a cabo minha exploração. Antes de continuar, observei bem uma curiosa formação rochosa na parede pela qual eu poderia reconhecer a entrada do túnel romano. A precaução era muito necessária, pois a grande caverna, até onde eu pudera vê-la, era cortada por corredores. Depois de me assegurar de minha posição, e de me tranquilizar examinando minhas velas sobressalentes e meus fósforos, avancei lentamente pela superfície rochosa e irregular da caverna.

E agora chego ao ponto em que deparei com um desastre tão repentino e desesperado. Um riacho, de aproximadamente seis metros de largura, corria através de meu caminho, e andei por alguma distância ao longo da margem para encontrar um ponto onde pudesse atravessá-lo sem molhar os sapatos. Finalmente, cheguei a um lugar onde uma única pedra chata encontrava-se perto do centro, a qual eu podia alcançar com uma passada. Por acaso, porém, a pedra tinha sido entalhada e tornada mais pesada em cima pelo ímpeto do riacho, de modo que se inclinou quando caí sobre ela e me jogou na água gelada. Minha vela se apagou, e me vi me debatendo na escuridão total e absoluta.

Voltei a me levantar cambaleando, mais divertido que alarmado por minha aventura. A vela caíra de minha mão e se perdera no riacho, mas eu tinha duas outras no bolso, de modo que isso não tinha importância. Preparei uma e peguei minha caixa de fósforos para acendê-la. Só então me dei conta de minha situação. A caixa tinha sido ensopada em minha queda no rio. Era impossível riscar os fósforos.

Uma mão fria pareceu se fechar em volta de meu coração quando percebi minha situação. A escuridão era opaca e horrível. Era tão absoluta que alguém poderia levar a mão ao rosto como se para empurrar para fora algo sólido. Fiquei imóvel, e mediante um esforço me estabilizei. Tentei reconstruir em minha mente um mapa do piso da caverna tal como o vira pela última vez. Ai!, os pontos de referência que tinham se fixado em minha mente estavam na parte alta dos muros, e não podiam ser encontrados pelo tato. Ainda assim, eu me lembrava, de maneira geral, de como os lados estavam situados, e esperava que avançando às apalpadelas ao longo deles pudesse finalmente chegar à abertura do túnel romano. Movendo-me muito lentamente, e batendo continuamente contra as rochas, lancei-me nessa busca desesperada.

Mas muito depressa percebi como ela era impossível. Naquela escuridão negra, aveludada, a pessoa se desorientava num instante. Antes que tivesse dado uma dúzia de passos, eu estava inteiramente desorientado. O murmúrio do riacho, que era o único som audível, mostrava-me onde ele estava, mas assim que deixava sua margem eu me via inteiramente perdido. A ideia de encontrar meu caminho de volta na escuridão absoluta através daquele labirinto de calcário era claramente impossível.

Sentei-me numa pedra e refleti sobre minha triste sorte. Eu não havia contado a ninguém que pretendia vir à mina de Blue John, e era improvável que um grupo de busca viesse atrás de mim. Portanto, devia confiar em meus próprios recursos para escapar do perigo. Havia uma única esperança, e era a de que os fósforos pudessem secar. Quando caí no rio, só metade de mim ficara inteiramente molhada. Meu ombro esquerdo permanecera acima da água. Peguei a caixa de fósforos, portanto, e a pus na minha axila esquerda. O ar úmido da caverna talvez fosse contrabalançado pelo calor de meu corpo, mas, mesmo assim, eu sabia que não poderia esperar obter uma luz por várias horas. Nesse meio-tempo, não havia nada a fazer senão esperar.

Por sorte, eu tinha enfiado vários biscoitos no meu bolso antes de deixar a sede da fazenda. Devorei-os agora, acompanhados de um gole da água desse odioso riacho que tinha sido a causa de todos os meus infortúnios. Depois, tateei em volta à procura de um assento confortável entre as rochas, e tendo descoberto um lugar onde podia ter um apoio para minhas costas, estiquei as pernas e me acomodei para esperar. Eu estava miseravelmente úmido e com frio, mas tentei me alegrar com a reflexão de que a ciência moderna prescrevia janelas abertas e caminhadas quaisquer fossem as condições do tempo para minha doença. Pouco a pouco, embalado pelo gorgolejo monótono do riacho, e pela escuridão absoluta, mergulhei num sono agitado.

Não sei dizer quanto tempo o sono durou. Pode ter sido uma hora, pode ter sido várias. De repente, me ergui em meu sofá de pedra, com todos os nervos vibrando e todos os sentidos agudamente em alerta. Sem nenhuma dúvida eu tinha ouvido um som — um som muito distinto do gorgolejo da água. Ele tinha passado, mas a reverberação dele ainda subsistia em meu ouvido. Era um grupo de busca? Eles teriam com toda certeza gritado, e por mais vago que fosse esse som que me despertara, era muito diferente da voz humana. Sentei-me palpitando e mal ousando respirar. Lá estava ele de novo! E de novo! Agora tornara-se contínuo. Era um passo — sim, certamente era o passo de uma criatura viva. Mas que passo! Dava a impressão de um enorme peso carregado sobre pés esponjosos, que emitiam um som abafado, mas que enchia os ouvidos. A escuridão era tão completa como sempre, mas o passo era regular e decidido. E estava vindo sem sombra de dúvida na minha direção.

Minha pele esfriou, e meu cabelo ficou em pé enquanto eu ouvia esses passos contínuos e pesados. Havia alguma criatura ali, e certamente pela rapidez de seu avanço, era uma criatura capaz de enxergar no escuro. Agachei-me em minha rocha e tentei me fundir com ela. Os passos ficaram ainda mais próximos, depois pararam, e logo me dei conta de uma lambida e um gorgolejo ruidosos. A criatura bebia água no riacho. Depois fez-se silêncio novamente, quebrado por uma sucessão de longas fungadas e bufos de tremendo volume e energia. Tinha captado o meu cheiro? Minhas próprias narinas estavam cheias de um fraco odor fétido, mefítico e abominável. Então ouvi os passos de novo. Eles estavam do meu lado do riacho agora. As pedras chocalharam a alguns metros de onde eu estava. Mal ousando respirar, agachei-me sobre minha rocha. Depois os passos se afastaram. Ouvi a pancada na água quando ele retornou pelo rio, e o som se extinguiu ao longe na direção de onde viera.

Por um longo tempo, fiquei deitado sobre a rocha, horrorizado demais para me mover. Pensei no som que ouvira vindo das profundezas da caverna, nos temores de Armitage, na impressão estranha no barro, e agora vinha essa prova final e absoluta de que havia realmente algum monstro inconcebível, algo absolutamente sobrenatural e pavoroso, que se escondia no oco da montanha. Eu não podia formular nenhuma concepção de sua natureza ou forma, salvo que era ao mesmo tempo ligeiro e gigantesco. O combate entre minha razão, que me dizia que essas coisas não podem existir, e meus sentidos, que me diziam o contrário, propagava-se dentro de mim enquanto eu continuava deitado. Finalmente, estava prestes a me convencer de que essa experiência tinha sido parte de algum sonho ruim, e que minha condição anormal podia ter feito surgir uma alucinação. Mas restava-me uma experiência final que removeu a última possibilidade de dúvida de minha mente.

Eu tirara meus fósforos de minha axila e os apalpara. Pareciam perfeitamente duros e secos. Inclinando-me sobre uma fissura das rochas, tentei riscar um deles. Para meu prazer, inflamou-se imediatamente. Acendi a vela e, com um aterrorizado olhar para as obscuras profundezas da caverna atrás de mim, apressei-me em direção à galeria romana. Ao fazê-lo, passei pelo trecho de barro em que vira a enorme marca. Agora parei assombrado diante dela, pois havia três marcas similares sobre sua superfície, de enorme tamanho, irregulares no contorno, de uma profundidade que indicava o grande peso que as deixara. Então um forte terror se apoderou de mim.

Curvando-me e protegendo minha vela com a mão, corri num frenesi de medo para a arcada rochosa, acelerei-me até ela, e não parei uma só vez até que, com pés cansados e pulmões arquejantes, subi correndo a ladeira de pedras, atravessei o emaranhamento de urzes, e me joguei exausto na relva macia sob a pacífica luz das estrelas. Eram três da manhã quando cheguei à sede da fazenda, e hoje estou todo transtornado e trêmulo após minha terrível aventura. Até agora não contei para ninguém. Devo proceder cautelosamente nesse assunto. Que pensariam as pobres mulheres solitárias ou os campônios sem instrução daqui se eu lhes contasse minha experiência? Melhor procurar alguém que possa compreender e aconselhar.

25 de abril. — Passei dois dias de cama após minha incrível aventura na caverna. Uso o adjetivo com um sentido muito definido, pois tive uma experiência desde então que me chocou quase tanto quanto a outra. Disse que estava à procura de alguém que pudesse me aconselhar. Há um dr. Mark

Johnson que clinica a alguns quilômetros de distância, para quem eu tinha um bilhete de recomendação do professor Saunderson. Viajei até ele, quando estava forte o suficiente para sair, e contei-lhe toda a minha estranha experiência. Ele ouviu atentamente, e depois me examinou com cuidado, prestando especial atenção a meus reflexos e às pupilas de meus olhos. Depois de terminar, recusou-se a discutir minha aventura, dizendo que ela estava inteiramente fora de seu alcance, mas deu-me o cartão de um sr. Picton em Castleton, com o conselho de que eu devia procurá-lo imediatamente e contar-lhe a história exatamente como a contara a ele. Ele era, segundo meu conselheiro, o homem preeminentemente adequado para me ajudar. Fui, portanto, até a estação, e dirigi-me até a cidadezinha que fica a aproximadamente 16 quilômetros de distância. O sr. Picton pareceu ser um homem importante, pois sua placa de bronze estava exposta na porta de uma construção considerável nos arredores da cidade. Eu estava prestes a tocar a campainha, quando uma apreensão me assaltou, e, indo até uma loja vizinha, perguntei ao homem atrás do balcão se podia me contar alguma coisa sobre o sr. Picton. "Ora", disse ele, "ele é o melhor médico de loucos em Derbyshire, e ali está seu hospício." Você pode imaginar que não demorou para que eu sacudisse a poeira de Castleton dos meus pés e retornasse à fazenda, amaldiçoando todos os pedantes sem imaginação que não podem conceber que existam coisas na criação com que sua visão de toupeira por acaso nunca deparou. Mas, depois de tudo, agora que estou mais calmo, posso me dar ao luxo de admitir que não fui mais compreensivo com Armitage do que o dr. Johnson foi comigo.

27 de abril. — Quando eu era estudante, tinha a reputação de ser um homem de coragem e empreendedor. Lembro-me de que quando houve uma caça aos fantasmas em Coltbridge, fui eu que fiquei sentado na casa mal-assombrada. Foi a passagem dos anos (afinal, tenho apenas 35 anos), ou foi a doença física que causou degeneração? Certamente, meu coração se acovarda quando penso naquela horrível caverna no morro, e a certeza de que ela tem um ocupante monstruoso. Que devo fazer? Não há uma hora no dia em que eu não debata a questão. Se não disser nada, o mistério permanece não resolvido. Se disser alguma coisa, tenho a alternativa de alarme frenético em toda a região, ou de absoluta incredulidade que pode terminar em meu encarceramento num hospício. No geral, creio que o melhor a fazer é esperar, e me preparar para uma expedição que deverá ser mais prudente e mais bem pensada que a última. Como um primeiro passo, estive em Castleton e obtive alguns itens essenciais — uma grande lanterna de acetileno em primeiro lugar, e uma boa espingarda esportiva de cano duplo em segundo. Esta última eu aluguei, mas comprei uma dúzia de cartuchos para caça grossa, que derrubariam rinocerontes. Agora estou pronto para meu amigo troglodita. Dê-me uma saúde melhor e um pouco de energia, e ainda tentarei fazer uma experiência com ele. Mas quem e o que é ele? Ah! Esta é a pergunta que se interpõe entre mim e meu sono. Quantas teorias formo, somente para descartá-las uma após outra! É tudo tão absolutamente impensável. No entanto, o grito, a pegada, os passos na caverna — nenhum raciocínio pode ir além disso. Penso nas lendas do velho mundo de dragões e outros monstros. Quem sabe elas não fossem, talvez, contos de fadas como pensávamos? Será possível que haja algum fato subjacente a elas, e eu sou, de todos os mortais, aquele que é escolhido para trazer isso à luz?

3 de maio. — Durante vários dias estive acamado pelos caprichos de uma primavera inglesa, e durante esses dias houve desdobramentos, cujo verdadeiro e sinistro significado ninguém pode apreciar exceto eu mesmo. Posso dizer que tivemos noites nubladas e sem lua ultimamente, o que segundo minha informação eram os momentos propícios durante os quais carneiros desapareciam. Bem, carneiros desapareceram. Dois da srta. Allerton, um do velho Pearson do Cat Walk e um da srta. Moulton. Quatro ao todo em três noites. Não restou absolutamente nenhum vestígio deles, e a região está fervilhando com rumores sobre ciganos e ladrões de carneiros.

Mas há algo mais sério que isso. O jovem Armitage desapareceu também. Ele saiu de seu chalé na charneca cedo na noite de quarta-feira e nunca mais foi visto desde então. Era um homem independente, por isso houve menos sensação do que seria o caso de outra maneira. A explicação popular é que deve dinheiro, e encontrou um emprego em alguma outra parte do país, de onde logo escreverá para que lhe enviem seus pertences. Mas tenho graves receios. Não é muito mais provável que a recente tragédia dos carneiros o tenha levado a tomar algumas medidas que podem ter terminado em sua própria destruição? Ele pode, por exemplo, ter ficado à espera da criatura e ter sido carregado por ela para os recessos das montanhas. Que destino inconcebível para um inglês civilizado do século XX! No entanto, sinto que ele é possível e até provável. Mas, nesse caso, até que ponto sou responsável tanto por sua morte quanto por qualquer outro acidente que possa ocorrer? Certamente, com o conhecimento que já possuo, é meu dever cuidar para que algo seja feito, ou se necessário fazê-lo eu mesmo. Deve ser esta segunda alternativa, porque esta manhã fui à delegacia de polícia local e contei minha história. O inspetor registrou-a toda num grande livro e me dispensou com louvável seriedade, mas ouvi uma explosão de riso antes de descer o caminho do seu jardim. Sem dúvida contava minha aventura para sua família.

O terror da Fenda de Blue John

10 de junho. — Escrevo isto, apoiado na cama, seis semanas depois de minha última anotação neste diário. Sofri um terrível choque tanto para a mente quanto para o corpo, decorrente de uma experiência que raramente sobreveio antes a um ser humano. Mas cheguei ao meu fim. O perigo do Terror que habita na Fenda de Blue John se foi para nunca mais retornar. Pelo menos isso eu, um inválido debilitado, fiz pelo bem comum. Deixe-me narrar agora o que ocorreu tão claramente quanto possa.

A noite de sexta-feira, 3 de maio, foi escura e nublada — a noite perfeita para o monstro caminhar. Por volta das onze horas saí da sede da fazenda com minha lanterna e minha espingarda, tendo primeiro deixado um bilhete sobre a mesa de meu quarto em que dizia que, se eu desaparecesse, deveriam procurar por mim na direção da Fenda. Dirigi-me à boca do poço romano, e tendo me empoleirado nas rochas próximas da abertura, desliguei minha lanterna e esperei pacientemente com minha espingarda carregada e preparada na mão.

Foi uma vigília melancólica. Por todo o vale sinuoso eu podia ver as luzes espalhadas de casas de fazenda, e o relógio da igreja de Chapel-le-Dale batendo as horas chegava debilmente aos meus ouvidos. Essas lembranças dos meus semelhantes só serviam para fazer minha própria posição parecer mais solitária, e exigir um esforço maior para superar o terror que me tentava continuamente a voltar para a fazenda e abandonar para sempre essa perigosa busca. No entanto, no fundo de todo homem encontra-se um arraigado respeito por si mesmo que torna difícil para ele voltar atrás em relação ao que uma vez empreendeu. Esse sentimento de orgulho pessoal foi minha salvação agora, e foi somente isso que me manteve firme quando todos os instintos de minha natureza me afastavam dali. Estou feliz agora por ter tido a força. Apesar de tudo que isso me custou, minha virilidade é pelo menos irrepreensível.

Soaram doze horas no relógio da igreja distante, depois uma, depois duas. Era a hora mais escura da noite. As nuvens pairavam baixas e não havia uma estrela no céu. Uma coruja piava em algum lugar entre as rochas, mas nenhum outro som, exceto o suave sussurro do vento, chegava aos meus ouvidos. E então subitamente eu o ouvi! De muito longe dentro do túnel vieram aqueles passos abafados, tão macios e ainda assim tão pesados. Ouvi também o chocalhar das pedras, à medida que elas desmoronavam sob aqueles passos gigantescos. Eles se aproximaram. Estavam perto de mim. Ouvi o esmagamento dos arbustos em torno da entrada, e em seguida, vagamente através da escuridão, tive consciência do vulto de uma forma enorme, uma monstruosa criatura rudimentar, emergindo rápida e muito silenciosamente do túnel. Fiquei paralisado de medo e assombro. Por mais que eu tivesse esperado, agora que ela realmente aparecia eu estava despreparado para o choque. Permaneci imóvel e sem fôlego, enquanto a grande massa escura passava rapidamente por mim e era engolida pela noite.

Mas agora armei-me de coragem para sua volta. Não vinha nenhum som da região rural adormecida para contar do horror que estava à solta. Eu não podia avaliar de nenhuma maneira quão distante ele estava, o que estava fazendo ou quando poderia voltar. Mas minha coragem não me faltaria uma segunda vez, ele não passaria de novo sem ser desafiado. Eu jurei entre meus dentes cerrados e pousei minha espingarda engatilhada sobre a rocha.

No entanto, quase aconteceu. Não houve nenhum aviso de aproximação agora que a criatura passava sobre a relva. De repente, como uma sombra escura, flutuante, o enorme volume assomou mais uma vez diante de mim, dirigindo-se para a entrada da caverna. Novamente veio a paralisia da volição que manteve meu dedo indicador dobrado sobre o gatilho. Mas com um esforço desesperado me livrei dela. Ao mesmo tempo que o matagal farfalhava, e a fera monstruosa se fundia com a sombra da Fenda, atirei na forma em retirada. Na luz intensa da arma, vi de relance uma grande massa peluda, algo com um pelo áspero e eriçado de uma cor cinzenta fanada, que se desvanecia em branco em suas partes inferiores, o enorme corpo suportado sobre pernas curtas, grossas e curvas. Tive apenas esse vislumbre, e em seguida ouvi o chocalhar das pedras enquanto a criatura se enfiava em disparada na sua toca. Num instante, com uma triunfante reviravolta de sentimento, eu tinha lançado meus medos ao vento, e descobrindo minha poderosa lanterna, com minha espingarda na mão, saltei de minha rocha e corri atrás do monstro pelo velho poço romano.

Minha esplêndida lâmpada lançava um fluxo brilhante de luz vívida diante de mim, muito diferente da tênue luz amarela que me ajudara a percorrer a mesma passagem apenas doze dias antes. Enquanto eu corria, via a grande fera cambaleando diante de mim, seu enorme volume enchendo todo o espaço de muro a muro. Seu pelo parecia estopa desbotada e grosseira, e pendia em longas e densas massas que balançavam enquanto ela se movia. Era como um enorme carneiro não tosquiado em seu velo, mas em tamanho era muito maior que o maior dos elefantes, e sua largura parecia ser quase tão grande quanto sua altura. Enche-me de espanto agora pensar que eu tenha ousado seguir tamanho horror até as entranhas da terra, mas quando nosso sangue sobe e nossa presa parece estar voando, o velho instinto primitivo de caça desperta e a prudência é lançada ao vento. Espingarda na mão, corri o mais velozmente que pude no rastro do monstro.

Eu tinha visto que a criatura era rápida. Agora eu descobriria à minha custa que era também muito ardilosa. Eu tinha imaginado que ela fugia em pânico, e que eu tinha apenas de persegui-la. A ideia de que ela poderia se virar contra mim nunca passara por meu cérebro excitado. Já expliquei que a galeria pela qual eu corria se abria numa grande caverna central. Corri para lá, temendo perder todos os traços da fera. Mas ela tinha voltado sobre seus próprios passos, e um instante depois estávamos face a face.

Essa imagem, vista na brilhante luz branca da lanterna, está gravada para sempre em meu cérebro. Ele tinha se erguido sobre suas patas traseiras como fazem os ursos, e estava sobre mim, enorme, ameaçador — uma criatura como nenhum pesadelo jamais trouxera à minha imaginação. Eu disse que ele se ergueu como um urso, e havia algo de ursino — se pudermos conceber um urso que tem dez vezes o tamanho de qualquer urso visto sobre a terra — em toda a sua pose e atitude, em suas grandes patas dianteiras tortas com suas garras brancas como marfim, em sua pele áspera, e em sua boca vermelha, aberta, orlada com monstruosos caninos. Só em um ponto ele diferia do urso, ou de qualquer outra criatura que anda sobre a terra, e mesmo naquele momento supremo um estremecimento de horror passou sobre mim quando observei que os olhos que cintilavam no clarão de minha lanterna eram bulbos enormes, projetados, brancos e cegos. Por um momento suas grandes patas se balançaram sobre minha cabeça. Em seguida ele tombou para a frente sobre mim, e minha lanterna quebrada espatifou-se no chão, e não me lembro de mais nada.

Quando recobrei os sentidos estava de volta à sede da fazenda das Allerton. Dois dias haviam se passado desde minha terrível aventura na Fenda de Blue John. Parece que eu tinha passado a noite toda na caverna, inconsciente por causa da concussão do cérebro, com meu braço esquerdo e duas costelas gravemente fraturados. De manhã, meu bilhete fora encontrado, um grupo de busca de uma dúzia de fazendeiros reunido, e eu tinha sido encontrado e carregado de volta para meu quarto, onde estivera deitado em intenso delírio desde então. Não havia, ao que parece, nenhum sinal da criatura, e nenhuma mancha de sangue que mostrasse que minha bala o encontrara quando passava. Exceto por meu estado deplorável e as marcas no barro, não havia nada para provar que o que eu dizia era verdade.

Agora seis semanas se passaram, e sou capaz de me sentar novamente ao sol. Bem diante de mim está a íngreme encosta, cinza com rochas xistosas, e lá em seu flanco está a fissura escura que marca a abertura da Fenda de Blue John. Mas ela não é mais uma fonte de terror. Nunca mais, através daquele túnel de mau agouro, nenhuma forma estranha haverá de escapar para o mundo dos homens. Os instruídos e científicos, os drs. Johnson e assemelhados, podem sorrir de minha narrativa, mas a gente mais pobre da região rural nunca teve dúvida de sua verdade. Um dia depois que recuperei minha consciência, eles se reuniram às centenas em redor da Fenda de Blue John. Como disse o *Castleton Courier*:

> Foi inútil que nosso correspondente, ou qualquer dos cavalheiros aventureiros que tinham vindo de Matlock, Buxton e outras partes, se oferecesse para descer, para explorar a caverna até o fim e finalmente pôr à prova a extraordinária narrativa do dr. James Hardcastle. O povo da região tinha tomado o assunto em suas próprias mãos, e desde a madrugada tinha trabalhado arduamente para obstruir a entrada do túnel. Há um forte declive quando o poço começa, e

grandes pedras roladas por muitas mãos dispostas foram empurradas por ele abaixo até que a Fenda ficou absolutamente vedada. Assim termina o episódio que causou tamanho alvoroço em toda a região. A opinião local está ferozmente dividida quanto ao assunto. De um lado estão aqueles que apontam para a saúde prejudicada do dr. Hardcastle, e para a possibilidade de lesões cerebrais de origem tubercular provocarem alucinações estranhas. Alguma ideia fixa, segundo esses cavalheiros, levou o médico a vagar pelo túnel e uma queda entre as rochas era suficiente para explicar seus ferimentos. De outro lado, uma lenda de uma estranha criatura da Fenda existe há alguns meses, e os fazendeiros veem a narrativa do dr. Hardcastle e seus ferimentos pessoais como uma corroboração final. O assunto se encontra nesse pé, e nesse pé continuará, pois nenhuma solução definitiva nos parece possível agora. Transcende o engenho humano dar qualquer explicação científica que poderia cobrir os supostos fatos.

Talvez antes que o *Courier* publicasse estas palavras tivesse sido judicioso enviar seu representante a mim. Refleti sobre o assunto, como ninguém mais teve ocasião de fazer, e talvez tivesse podido remover algumas das mais óbvias dificuldades da narrativa e a tivesse aproximado um pouco mais da aceitação científica. Deixe-me, portanto, registrar a única explicação que me parece elucidar o que sei à minha custa ter sido uma série de fatos. Minha teoria pode parecer absurdamente improvável, mas ao menos ninguém pode ousar dizer que é impossível.

Minha opinião é — e ela foi formada, como é demonstrado por meu diário, antes de minha aventura pessoal — que nesta parte da Inglaterra há um vasto lago ou mar subterrâneo, que é alimentado pelo grande número de riachos que penetram através do calcário. Onde há um grande acúmulo de água deve haver também alguma evaporação, névoas ou chuva, e uma possibilidade de vegetação. Isso, por sua vez, sugere que pode haver vida animal, surgida, como a vida vegetal também o faria, a partir daquelas sementes e tipos que tinham sido introduzidos num período precoce da história do mundo, quando a comunicação com ar exterior era mais fácil. Esse lugar tinha então desenvolvido uma fauna e uma flora próprias, inclusive monstros como aquele que vi, que era talvez o antigo urso das cavernas, enormemente aumentado e modificado por seu novo ambiente. Por incontáveis eras, as criações interna e externa se mantiveram separadas, afastando-se cada vez mais uma da outra. Então houvera alguma brecha nas profundezas da montanha que permitira a uma criatura subir e, por meio do túnel romano, chegar ao ar livre. Como toda vida subterrânea, ela tinha perdido a faculdade da visão, mas isso fora sem dúvida compensado pela natureza em outras direções. Certamente ela tinha alguns meios para encontrar seu caminho e para caçar carneiros na encosta. Quanto à sua escolha de noites escuras, é parte de minha teoria que a luz era penosa para aqueles grandes globos oculares brancos, e que era somente um mundo escuro como breu que ela podia tolerar. Talvez, de fato, tenha sido o clarão da minha lanterna que salvou minha vida naquele apavorante momento em que ficamos face a face. Assim interpreto o enigma. Deixo esses fatos para trás, e se você puder explicá-los, faça-o; ou, se preferir duvidar deles, faça-o. Nem sua crença nem sua incredulidade podem alterá-los, nem afetar alguém cuja tarefa está quase concluída.

Assim terminou a estranha narrativa do dr. James Hardcastle.

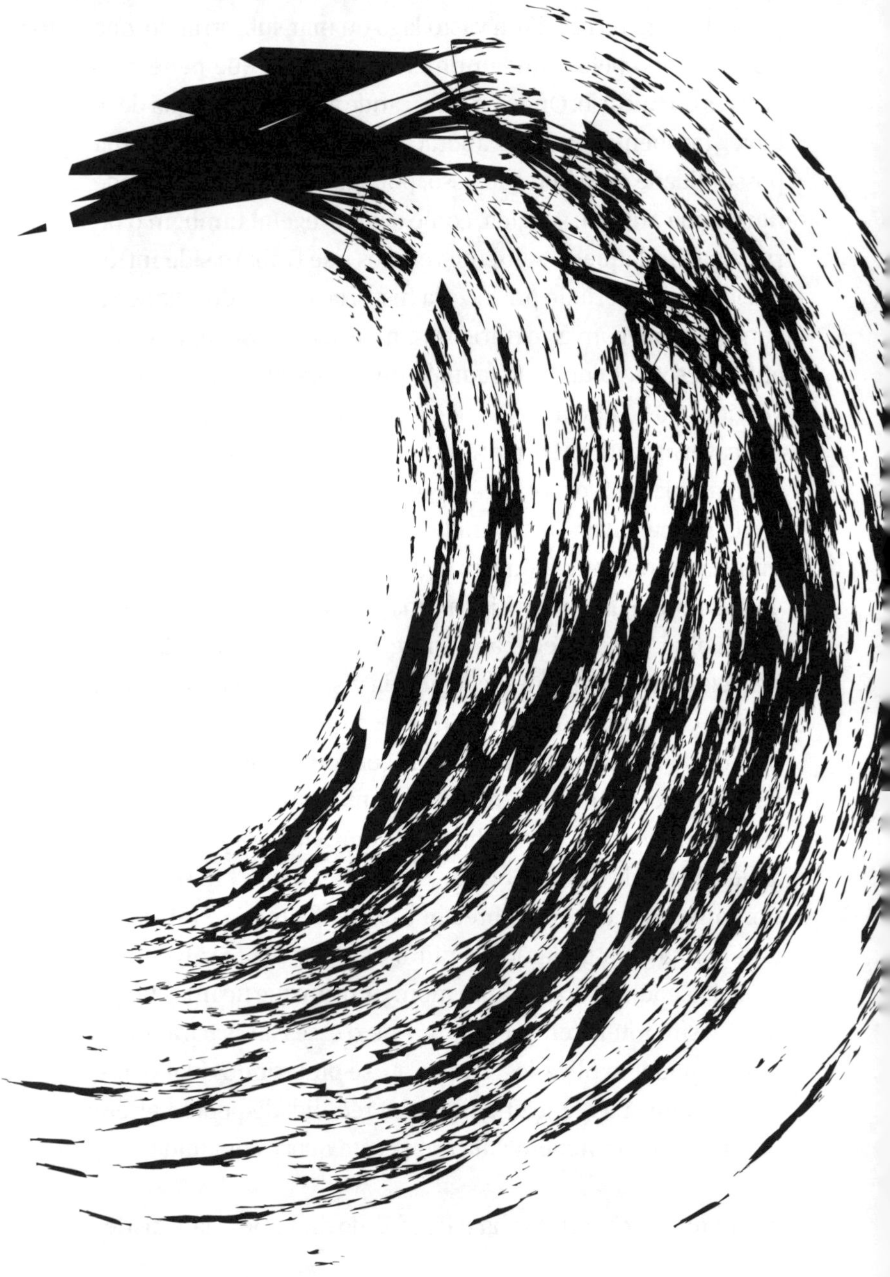

O horror das alturas

1913

A ideia de que a extraordinária narrativa conhecida como o Fragmento de Joyce-Armstrong é um elaborado trote desenvolvido por algum desconhecido, amaldiçoado por um senso de humor sinistro e perverso, foi agora abandonada por todos que examinaram o caso. O mais macabro e mais imaginativo dos conspiradores hesitaria antes de associar suas mórbidas fantasias com os fatos inquestionáveis e trágicos que reforçam o relato. Embora as afirmações nele contidas sejam incríveis e até monstruosas, está não obstante se impondo à inteligência geral que elas são verdadeiras e que devemos reajustar nossas ideias à nova situação. Este nosso mundo parece estar separado por uma ligeira e precária margem de segurança de um perigo extremamente singular e inesperado. Vou me empenhar nesta narrativa, que reproduz o documento original em sua forma necessariamente um tanto fragmentária, para pôr diante do leitor a totalidade dos fatos até agora, prefaciando meu relato dizendo que, se há alguém que duvide da narrativa de Joyce-Armstrong, não pode haver qualquer dúvida quanto aos fatos relativos ao tenente Myrtle da Marinha Real e ao sr. Hay Connor, que indubitavelmente encontraram seu fim da maneira descrita.

O Fragmento de Joyce-Armstrong foi encontrado no campo conhecido como Lower Haycock, situado cerca de um quilômetro e meio a oeste da aldeia de Withyham, na fronteira de Kent e Sussex. Foi no dia 15 de setembro último que um trabalhador agrícola, James Flynn, empregado de Mathew Dodd, fazendeiro da Chauntry Farm, Whithyham, percebeu um cachimbo de urze caído perto da trilha que margeia a sebe em Lower Haycock. Alguns passos adiante ele apanhou um par de binóculos quebrado. Finalmente, entre algumas urtigas na vala, avistou um livro achatado, com dorso de lona, que revelou-se um caderno com folhas destacáveis, algumas das quais tinham se soltado e estavam esvoaçando junto à base da sebe. Ele as recolheu, mas algumas, inclusive a primeira, nunca foram recuperadas, e deixam um deplorável hiato neste importantíssimo relato. O caderno foi levado pelo agricultor a seu patrão, que por sua vez o mostrou ao dr. J. H. Atherton, de Hartfield. Este cavalheiro reconheceu de imediato a necessidade de um exame especializado, e o manuscrito foi encaminhado ao Aeroclube em Londres, onde agora se encontra.

Faltam as duas primeiras páginas do manuscrito. Há também uma arrancada no fim da narrativa, embora nenhuma delas afete a coerência geral da história. Conjectura-se que a abertura desaparecida diz respeito ao registro das qualificações do sr. Joyce-Armstrong como aeronauta, as quais podem ser coligidas a partir de outras fontes e são reconhecidas como incomparáveis entre os pilotos aéreos da Inglaterra. Por muitos anos, ele foi considerado um dos mais audaciosos e inteligentes dos aviadores, uma combinação que lhe permitiu tanto inventar quanto testar vários novos aparelhos, inclusive a peça giroscópica que é conhecida por seu nome. O corpo principal do manuscrito está cuidadosamente escrito a tinta, mas as últimas linhas foram escritas a lápis e são tão irregulares que mal são legíveis — de fato, exatamente como seria de esperar que parecessem se tivessem sido escritas às pressas no assento de um aeroplano em movimento. Há, pode-se acrescentar, várias manchas tanto nas últimas páginas quanto na sobrecapa, as quais os especialistas do Ministério do Interior declararam ser sangue — provavelmente humano e certamente mamífero. O fato de ter sido descoberto no sangue algo fortemente assemelhado ao organismo da malária, e de se saber que Joyce-Armstrong sofria de febre intermitente, é um extraordinário exemplo das novas armas que a ciência moderna pôs nas mãos dos nossos detetives.

Histórias de horror

E agora uma palavra sobre a personalidade do autor desse relato histórico. Joyce-Armstrong, segundo os poucos amigos que realmente sabiam alguma coisa sobre o homem, era um poeta e um sonhador, bem como um mecânico e um inventor. Era um homem de considerável fortuna, grande parte da qual ele gastou no cultivo de seu hobby aeronáutico. Tinha quatro aeroplanos particulares em seus hangares perto de Devizes, e diz-se que levantou voo nada menos que cento e setenta vezes no curso do último ano. Era um homem retraído com estados de ânimo sombrios, nos quais evitava o convívio com seus semelhantes. O capitão Dangerfield, que o conhecia melhor que ninguém, diz que havia ocasiões em que sua excentricidade ameaçava se desenvolver em algo mais sério. Seu hábito de carregar consigo uma espingarda em seu aeroplano era uma manifestação disso.

Outra foi o efeito mórbido que a queda do tenente Myrtle teve sobre sua mente. Myrtle, que estava tentando seu recorde de altura, caiu de uma altitude de algo acima de 9 mil metros. Horrível de narrar, sua cabeça foi inteiramente obliterada, embora a configuração de seu corpo e membros tenha sido preservada. Em cada reunião de aviadores, Joyce-Armstrong, segundo Dangerfield, perguntava, com um sorriso enigmático: "E onde, por favor, está a cabeça de Myrtle?"

Em outra ocasião, após o jantar, na cantina da Escola de Aviação em Salisbury Plain, ele iniciou um debate sobre qual será o perigo mais permanente que os aviadores terão de encontrar. Tendo ouvido sucessivas opiniões sobre bolsas de ar, construção defeituosa e inclinação excessiva, ele acabou encolhendo os ombros e se recusando a apresentar suas próprias ideias, embora tenha dado a impressão de que elas diferiam de todas expostas por seus companheiros.

Vale a pena observar que após seu completo desaparecimento descobriu-se que seus assuntos privados estavam organizados com precisão tamanha que parece demonstrar que ele tinha uma forte premonição de desastre. Com estas explicações essenciais, vou agora apresentar a narrativa exatamente como está, começando na página três do caderno ensanguentado:

"Contudo, quando jantei em Reims com Coselli e Gustav Raymond descobri que nenhum deles estava ciente de qualquer perigo particular nas camadas mais elevadas da atmosfera. Eu não disse realmente o que estava em meus pensamentos, mas cheguei tão perto disso que se eles tivessem alguma ideia correspondente não poderiam ter deixado de expressá-la. Mas afinal eles são dois sujeitos vazios, jactanciosos, sem nenhum pensamento além de ver seus tolos nomes no jornal. É interessante observar que nenhum deles jamais tinha ido muito acima de 6 mil metros. É claro, homens estiveram acima disso tanto em balões quanto na escalada de montanhas. Deve ser bem acima desse ponto que o aeroplano entra na zona de perigo — sempre presumindo que minhas premonições estejam corretas.

"A aviação está conosco agora há mais de vinte anos, e talvez pudéssemos perguntar: por que esse perigo só estaria se revelando em nossa época? A resposta é óbvia. Nos velhos tempos de motores fracos, quando um Gnome ou Green de cem cavalos-vapor era considerado suficiente para todas as necessidades, os voos eram muito restritos. Agora que trezentos cavalos-vapor são mais a regra que a exceção, visitas às camadas superiores se tornaram mais fáceis e mais comuns. Alguns de nós podem lembrar como, em nossa juventude, Garros alcançou uma reputação mundial por alcançar 5.800 metros, e era considerado uma façanha notável voar acima dos Alpes. Nossos padrões agora foram imensuravelmente elevados, seguindo a proporção de vinte voos altos para cada um ocorrido em anos pregressos.

Muitos deles foram empreendidos com impunidade. O nível de 9 mil metros foi alcançado vez após vez sem nenhum desconforto além de frio e asma. O que isso prova? Um visitante poderia descer sobre este planeta e nunca ver um tigre. No entanto, tigres existem, e se ele por acaso descesse numa selva poderia ser devorado. Há selvas no ar superior, e há coisas piores que tigres habitando-as. Creio que no devido tempo essas selvas serão precisamente mapeadas. Mesmo no presente momento eu poderia nomear duas delas. Uma se situa acima do distrito francês de Pau-Biarritz. Outra está exatamente acima de minha cabeça enquanto escrevo em minha casa em Wiltshire. Creio que há uma terceira no distrito de Homburg-Wiesbaden.

"Foi o desaparecimento dos aviadores que primeiro me fez pensar. Evidentemente, todos disseram que eles tinham caído no mar, mas isso não me satisfez em absoluto. Primeiro, houve Verrier na França; sua máquina foi encontrada perto de Bayonne, mas nunca localizaram seu corpo. Houve o caso de Baxter também, que desapareceu, embora seu motor e alguns dos equipamentos de ferro tenham sido encontrados numa floresta em Leicestershire. Nesse caso, o dr. Middleton, de Amesbury, que observava o voo com um telescópio, declara que pouco antes de as nuvens lhe obscurecerem a visão ele viu a máquina, que estava numa altura enorme, de súbito deslocar-se perpendicularmente para o alto, numa sucessão de solavancos que ele teria considerado impossível. Foi a última vez que se viu Baxter. Houve uma correspondência nos jornais, mas ela nunca levou a nada. Houve vários outros casos similares, e depois houve a morte de Hay Connor. Quanto falatório acerca de um mistério aéreo não resolvido, e quantas colunas nos tabloides baratos, no entanto, quão pouco foi feito para chegar ao fundo da questão! Ele desceu planando, de uma altura ignorada, num tremendo mergulho em ângulo abrupto. Nunca saiu de sua máquina e morreu em seu assento de piloto. Morreu do quê? 'Doença cardíaca', disseram os médicos. Tolice! O coração de Hay Connor era tão saudável quanto o meu. Que disse Venables? Venables era o único que estava ao seu lado quando ele morreu. Ele disse que Connor estava tremendo e parecia um homem que tinha levado um forte susto. 'Morreu de medo', disse Venables, mas não podia imaginar o que ele temia. Disse apenas uma palavra a Venables, que soou como 'Monstruoso'. Eles não puderam atribuir nenhum sentido a isso no inquérito. Mas eu pude entender alguma coisa. Monstros! Essa foi a última palavra do pobre Harry Hay Connor. E ele *de fato* morreu de medo, exatamente como Venables imaginou.

"E depois houve a cabeça de Myrtle. Vocês realmente acreditam — alguém realmente acredita — que a cabeça de um homem poderia ser inteiramente enterrada dentro de seu corpo pela força de uma queda? Bem, talvez isso seja possível, mas, de minha parte, nunca acreditei que isso tenha acontecido com Myrtle. E a graxa em suas roupas — 'todas grudentas com graxa' — afirmou alguém no inquérito. Estranho que isso não tenha levado ninguém a pensar! Eu pensei — mas a verdade é que eu vinha pensando há muito tempo. Fiz três subidas — como Dangerfield costumava caçoar de mim com relação à minha espingarda —, mas nunca cheguei a uma altura suficiente. Agora, com essa nova e leve máquina Paul Veroner e seu Robur de 175, eu facilmente chegaria aos 9 mil metros amanhã. Terei uma chance de bater o recorde. Talvez tenha uma chance em outra coisa também. Claro que é perigoso. Se um sujeito quer evitar perigo seria melhor que se abstivesse completamente de voar e se resignasse a chinelos de flanela e um roupão. Mas visitarei a selva do ar amanhã — e se há alguma coisa lá ficarei sabendo. Se retornar, gozarei de certa celebridade. Se não retornar, este caderno pode explicar o que estou tentando fazer, e como perdi minha vida ao fazê-lo. Mas nenhuma conversa tola sobre acidentes ou mistérios, POR FAVOR.

"Escolhi meu monoplano Paul Veroner para a tarefa. Não há nada como um monoplano quando há trabalho de verdade a fazer. Beaumont descobriu isso bem nos primórdios. Em primeiro lugar, ele não se importa com a umidade, e o tempo dá a impressão de que estaremos nas nuvens o tempo todo. É um lindo modelinho e obedece à minha mão como um cavalo confiante. O motor é um Robur rotativo de dez cilindros que trabalha até 175. Ele tem todos os aperfeiçoamentos modernos — fuselagem fechada, patins de aterrissagem curvos, freios, estabilizadores giroscópicos, e três velocidades, trabalhadas por uma alteração do ângulo das superfícies de sustentação com base no princípio da veneziana. Levei uma espingarda comigo e uma dúzia de cartuchos cheios de chumbo grosso. Vocês deviam ter visto a cara de Perkins, meu velho mecânico, quando o orientei a pô-los dentro. Eu estava vestido como um explorador do Ártico, com duas camisas de malha sob meu macacão, meias grossas dentro de minhas botas acolchoadas, um boné de tempestade com abas e meus óculos de proteção feitos de mica. Estava sufocante fora dos hangares, mas eu estava indo para o cume dos Himalaias, e tinha de me vestir para o papel. Perkins sabia que havia algo acontecendo e implorou que eu o levasse comigo. Talvez eu o fizesse se estivesse usando o biplano, mas um monoplano é um espetáculo solo — se você quiser extrair dele o último sopro de vida. Levei uma bolsa de oxigênio, é claro; o homem que parte para um recorde de altitude sem uma será ou congelado ou asfixiado ou ambas as coisas.

"Dei uma boa olhada nas superfícies de sustentação, na barra do leme e na alavanca de elevação antes de entrar. Tudo estava em ordem até onde eu podia ver. Depois liguei meu motor e constatei que ele funcionava suavemente. Quando soltaram a máquina, ela subiu quase imediatamente na velocidade mais baixa. Circulei meu campo uma ou duas vezes só para aquecê-la, e depois, com um aceno para Perkins e os outros, aplainei minhas superfícies de sustentação e pus a máquina no máximo. Ela deslizou como uma andorinha no vento por uns doze ou quinze quilômetros até que embiquei seu nariz um pouco para cima e ela começou a subir numa grande espiral rumo ao banco de nuvens acima de mim. É de suma importância subir lentamente e adaptar-se à pressão à medida que se sobe.

"Era um dia fechado e quente para um setembro inglês, e havia a quietude e a opressão de chuva iminente. Volta e meia vinham súbitas lufadas de vento do sudoeste — uma delas tão tempestuosa e inesperada que me pegou desprevenido e me fez dar uma meia-volta por um instante. Lembro-me do tempo em que lufadas, turbilhões e bolsas de ar costumavam ser coisas perigosas — antes que aprendêssemos a pôr uma energia superior em nossos motores. Assim que alcancei os bancos de nuvens, com o altímetro marcando 915 metros, caiu a chuva. Juro, como chovia! A água tamborilava sobre minhas asas e açoitava o meu rosto, embaçando tanto os meus óculos que eu mal conseguia enxergar. Desci a uma velocidade menor, pois era penoso viajar contra ela. Quando subi, a chuva se converteu em granizo, e tive de virar a cauda para ele. Um de meus cilindros estava fora de combate — uma vela suja, eu podia imaginar, mas continuava a subir constantemente com força total. Depois de um tempo o problema passou, fosse ele qual fosse, e ouvi o ronronar completo e profundo — os dez cantando ao mesmo tempo. É aí que a beleza de nossos silenciadores modernos se manifesta. Podemos finalmente controlar nossos motores pelo ouvido. Como eles guincham, chiam e soluçam quando estão em apuros! Todos esses gritos por socorro eram perdidos antigamente, quando cada som era engolido pela monstruosa algazarra da máquina. Se ao menos os primeiros aviadores pudessem voltar para ver a beleza e perfeição do mecanismo que foi adquirido ao custo de suas vidas!

"Por volta das nove e trinta eu me aproximava das nuvens. Abaixo de mim, toda enevoada e obscurecida pela chuva, encontrava-se a vasta extensão da planície de Salisbury. Meia dúzia de máquinas voadoras faziam trabalho de rotina no nível dos trezentos metros, parecendo pequenas andorinhas pretas contra o pano de fundo verde. Aposto que estavam se perguntando o que eu fazia entre as nuvens. De repente uma cortina cinza se cerrou sob mim e as dobras úmidas dos vapores rodopiaram em volta de meu rosto. Estava terrivelmente frio e horrível. Mas eu estava acima da tempestade de granizo, e isso já era um ganho. A nuvem era tão escura e densa quanto um nevoeiro londrino. Em minha ansiedade para escapar, empinei o nariz da máquina até que a campainha automática soou, e comecei realmente a deslizar para trás. Minhas asas ensopadas e gotejantes tinham me tornado mais pesado do que eu pensava, mas agora eu estava numa nuvem mais leve, e logo tinha transposto a primeira camada. Havia uma segunda — opalina e lanosa — a uma grande altura sobre minha cabeça, um teto branco, ininterrupto acima, e um assoalho escuro, ininterrupto abaixo, com o monoplano se esforçando para subir sobre uma vasta espiral entre eles. Sentimo-nos terrivelmente solitários nesses espaços nublados. Uma vez um grande bando de umas pequenas aves aquáticas passou por mim, voando muito depressa para oeste. O rápido farfalhar de suas asas e seu grito musical pareceram alegres aos meus ouvidos. Imagino que eram marrecos, mas sou um péssimo zoólogo. Agora que nós seres humanos nos tornamos aves, devemos realmente aprender a conhecer de vista nossos confrades.

O horror das alturas

"O vento abaixo de mim rodopiava e agitava a ampla planície de nuvens. Uma vez um grande redemoinho se formou nela, um sorvedouro de vapor, e através deles, como por um funil, avistei o mundo distante. Um grande biplano branco passava a uma vasta profundidade sob mim. Imagino que era o serviço postal matutino entre Bristol e Londres. Depois o turbilhão girou de novo para dentro e a grande solidão voltou a ser constante.

"Logo depois das dez toquei a borda inferior do estrato de nuvens mais alto. Ele consistia em vapor fino e diáfano que se movia depressa a partir do oeste. O vento estivera se intensificando constantemente todo esse tempo e agora soprava uma forte brisa — vinte e oito por hora pelo meu aferidor. Já estava muito frio, embora meu altímetro marcasse apenas 2.700 metros. Os motores funcionavam lindamente, e seguíamos zumbindo constantemente para cima. O banco de nuvens era mais denso do que eu esperava, mas finalmente ele se atenuou numa névoa dourada diante de mim, e então num instante eu tinha escapado dele, e havia um céu sem nuvens e um Sol brilhante acima de minha cabeça — tudo azul e dourado no alto, tudo prata brilhante abaixo, uma vasta e trêmula planície até onde meus olhos podiam alcançar. Eram dez e quinze, e a agulha do barógrafo apontava para 3.900. Fui subindo, subindo, meus ouvidos concentrados no ronronar profundo de meu motor, meus olhos sempre ocupados com o relógio, o indicador de revoluções, a alavanca da gasolina e a bomba de óleo. Não admira que se diga que os aviadores são uma raça destemida. Com tantas coisas em que pensar não há tempo para se preocupar consigo mesmo. Por volta desse momento observei como a bússola é pouco confiável quando se está certa altura acima da Terra. A 4.600 metros a minha apontava para leste e um ponto para o sul. O Sol e o vento me davam minha verdadeira localização.

"Tivera a esperança de alcançar uma quietude eterna nessas altitudes elevadas, mas a cada trezentos metros de ascensão o vendaval ficava mais forte. Minha máquina gemia e tremia em cada junta e rebite enquanto o enfrentava, e era carregada como uma folha de papel quando eu a inclinava na virada, deslizando sob o vento numa velocidade quiçá maior que aquela na qual um mortal jamais se moveu. Contudo eu tinha sempre de dar meia-volta e virar de bordo no olho do vento, pois não era apenas um recorde de altura que eu buscava. Por todos os meus cálculos, era acima do pequeno condado de Wiltshire que minha selva aérea se encontrava, e todo o meu trabalho poderia ser perdido se eu atingisse as camadas exteriores em algum ponto mais distante.

Quando alcancei o nível de 5.800 metros, o que ocorreu por volta do meio-dia, o vento estava tão forte que olhei com certa ansiedade para os cabos de minhas asas, esperando por um momento vê-los estalar ou afrouxar. Cheguei a soltar o paraquedas atrás de mim, e prendi seu gancho ao anel de meu cinturão de couro, de modo a estar pronto para o pior. Essa era a hora em que um pouco de trabalho malfeito pelo mecânico é pago com a vida do aeronauta. Mas a máquina se manteve bravamente coesa. Cada corda e escora zumbia e vibrava como cordas de harpa, mas era glorioso ver como, a despeito de todos os golpes e bofetadas, ela ainda era a conquistadora da Natureza e a senhora do céu. Há certamente algo divino no próprio homem para que ele devesse se elevar tão acima das limitações que a Criação parecia impor — elevar-se, também, por uma devoção tão desinteressada e heroica como essa conquista do ar demonstrou. E há quem fale em degeneração humana! Quando uma história como esta foi escrita nos anais de nossa raça?

"Esses eram os pensamentos em minha cabeça enquanto eu escalava aquele monstruoso plano inclinado com o vento ora batendo em minha face e ora assobiando atrás de meus ouvidos, enquanto a terra de nuvens abaixo de mim se afastava a uma tal distância que as dobras e montes de prata tinham todos se aplainado numa planície chata, brilhante. Mas de repente tive uma experiência horrível e sem precedentes. Eu sabia antes o que é estar no que nossos vizinhos chamaram de turbilhão, mas nunca numa escala como essa. Aquele enorme, vasto rio de vento de que falei tinha, ao que parece, redemoinhos dentro dele tão monstruosos quanto ele mesmo. Sem aviso prévio, fui arrastado de repente para o coração de um. Girei durante um ou dois minutos com tal velocidade que quase perdi os sentidos, e então despenquei de repente, a asa esquerda na frente, pelo funil de vácuo no centro. Caí como uma pedra, e perdi quase trezentos metros. Foi somente meu cinto que me prendeu ao meu assento, e o choque e a falta de ar deixaram-me pendendo semi-inconsciente sobre o lado da fuselagem. Mas sou sempre capaz de um esforço supremo — é o meu único grande mérito como aviador. Estava consciente de que a descida estava mais lenta. O sorvedouro era um cone em vez de um funil, e eu tinha chegado ao ápice. Com um tremendo puxão, jogando todo o meu peso para um lado, nivelei minhas superfícies de sustentação e afastei do vento a cabeça da máquina. Eu saíra disparado dos redemoinhos e deslizava pelo céu. Então, abalado mas vitorioso, virei o nariz da máquina para cima e comecei mais uma vez minha labuta constante na espiral ascendente. Fiz uma grande curva para evitar o ponto de perigo do redemoinho, e logo estava seguramente acima dele. Pouco depois da uma hora, eu estava 6.400 metros acima do nível do mar. Para minha grande alegria, tinha superado o vendaval, e a cada trinta metros de subida o ar ficava mais parado. Por outro lado, fazia muito frio, e eu estava consciente daquela náusea peculiar que acompanha a rarefação do ar. Pela primeira vez desatarraxei a boca de minha bolsa de oxigênio e inalei uma vez ou outra o glorioso gás. Podia senti-lo correndo como um cordial pelas minhas veias, e senti-me eufórico quase ao ponto da embriaguez. Gritei e cantei enquanto me elevava para o frio e sereno mundo exterior.

"Está muito claro para mim que a inconsciência que acometeu Glaisher, e num grau menor Coxwell, quando, em 1862, eles subiram num balão até a altura de 9 mil metros, deveu-se à extrema rapidez com que uma ascensão perpendicular foi feita. Fazendo-se isso num gradiente confortável e acostumando-se pouco a pouco à pressão barométrica reduzida, não há esses horríveis sintomas. Na mesma grande altura, constatei que mesmo sem meu inalador de oxigênio eu podia respirar sem sofrimento excessivo. Estava extremamente frio, contudo, e meu termômetro estava em -17ºC. À uma e meia eu estava aproximadamente 11 mil metros acima da superfície da Terra, e ainda subindo constantemente. Descobri, no entanto, que o ar rarefeito estava dando um apoio acentuadamente menor a minhas superfícies de sustentação, e que, em consequência, meu ângulo de subida tinha de ser consideravelmente diminuído. Já estava claro que mesmo com meu baixo peso e a grande potência de meu motor havia um ponto diante de mim onde eu devia ser retido. Para piorar as coisas, uma de minhas velas estava com problemas novamente e havia falhas intermitentes no motor. Meu coração estava pesado com o medo do fracasso.

"Foi mais ou menos nessa hora que tive uma experiência das mais extraordinárias. Alguma coisa passou zunindo por mim num rastro de fumaça e explodiu com um som alto, sibilante, lançando uma nuvem de vapor. Naquele instante não pude imaginar o que tinha acontecido. Depois me lembrei que a Terra está sempre sendo bombardeada por meteoritos, e seria praticamente inabitável se eles não fossem em quase todos os casos transformados em vapor nas camadas exteriores da atmosfera. Aqui está um novo perigo para o homem em altitude elevadas, pois dois outros passaram por mim quando eu me aproximava da marca dos 12 mil metros. Não posso duvidar de que na borda do invólucro da Terra o risco seria muito real.

"A agulha de meu barógrafo marcava 12.588 quando me dei conta de que não podia ir mais longe. Fisicamente, a tensão ainda não era maior do que eu podia suportar, mas minha máquina alcançara seu limite. O ar atenuado não dava um apoio firme às asas, e a menor inclinação se convertia em deslizamento lateral, enquanto a máquina parecia lenta em seus controles. Possivelmente, se o motor estivesse em sua melhor forma, mais trezentos metros poderiam ter estado dentro de nossa capacidade, mas ele continuava falhando, e dois dos dez cilindros pareciam estar fora de ação. Se eu já não tivesse alcançado a zona pela qual estava buscando, jamais a veria nessa viagem. Mas não era possível que já a tivesse atingido? Planando em círculos como um monstruoso falcão sobre o nível dos 12 mil metros, deixei o monoplano guiar a si mesmo, e com meu binóculo Mannheim fiz uma cuidadosa observação de meus arredores. O céu estava perfeitamente claro; não havia nenhuma indicação daqueles perigos que eu tinha imaginado.

"Eu disse que estava planando em círculos. Ocorreu-me de repente que seria conveniente fazer um movimento circular mais amplo e abrir uma nova região aérea. Se o caçador entrasse numa selva terrestre, ele a percorreria se quisesse encontrar sua caça. Meu raciocínio me levara a acreditar que a selva aérea que eu imaginara encontrava-se em algum lugar sobre Wiltshire. Isso devia estar ao sul e a oeste de mim. Orientei-me pelo Sol, porque a bússola era inútil e não se podia avistar nem vestígio da Terra — nada, senão a planície de nuvens distante e prateada. No entanto, orientei-me o melhor que pude e mantive a cabeça da máquina apontada diretamente para a marca. Eu avaliava que minha provisão de gasolina não duraria mais que uma hora, aproximadamente, mas eu podia me permitir usá-la até a última gota, já que um único magnífico voo planado poderia me levar até a terra a qualquer momento.

"Subitamente dei-me conta de algo novo. O ar diante de mim tinha perdido sua clareza de cristal. Estava cheio de longas e esfarrapadas colunas de algo que só posso comparar a uma fumaça de cigarro muito fina. Ela pendia à minha volta em espirais e rolos, girando e enroscando-se lentamente à luz do sol. Enquanto o monoplano a atravessava, percebi um débil gosto de óleo em meus lábios, e havia uma espuma gordurenta sobre o madeiramento da máquina. Alguma matéria orgânica infinitamente fina parecia estar suspensa na atmosfera. Não havia vida ali. Ela era incipiente e difusa, estendendo-se por muitos mil metros quadrados e depois se desfiava no vazio. Não, não era vida. Mas não poderia ser resquícios de vida? Acima de tudo, não poderia ser o alimento da vida, da vida monstruosa, assim como a humilde gordura do oceano é o alimento para a enorme baleia? O pensamento estava em minha mente quando meus olhos se voltaram para cima e tive a mais maravilhosa visão que o homem jamais teve. Posso ter esperança de transmiti-la para vocês tal como eu mesmo a vi quinta-feira passada?

"Imagine uma água-viva tal como velas em nossos mares de verão, em forma de sino e de enorme tamanho — muito maior, eu avaliaria, que a cúpula da catedral de St. Paul. Era de um leve cor-de-rosa raiado com um verde delicado, mas todo o enorme tecido tão tênue que não passava de um contorno diáfano contra o céu azul-escuro. Ela pulsava com um ritmo delicado e regular. Dela saíam dois longos tentáculos verdes, caídos, que balançavam lentamente para a frente e para trás. Essa esplêndida visão passou gentilmente com silenciosa dignidade sobre minha cabeça, tão leve e frágil como uma bolha de sabão, e avançou por seu caminho majestoso.

"Eu tinha dado meia-volta em meu monoplano, para poder contemplar essa bela criatura, quando, dentro de um instante, me vi em meio a uma perfeita frota delas, de todos os tamanhos, mas nenhuma tão grande quanto a primeira. Algumas eram muito pequenas, mas a maioria mais ou menos tão grandes quanto um balão médio, e com mais ou menos a mesma curvatura no topo. Havia nelas uma delicadeza de textura e colorido que me lembrava o mais fino cristal veneziano. Pálidos tons de rosa e verde eram os matizes predominantes, mas tudo tinha uma encantadora iridescência onde o sol tremeluzia através de suas formas delicadas. Algumas centenas delas passaram ao meu lado, um maravilhoso esquadrão diáfano de estranhas e desconhecidas frotas de navios do céu — criaturas cujas formas e substância estavam tão em sintonia com essas puras alturas que não se podia conceber nada tão delicado à vista ou ao ouvido da Terra.

"Mas logo minha atenção foi atraída por um novo fenômeno — as serpentes do ar exterior. Essas eram rolos longos, delgados e fantásticos de material semelhante a vapor, que giravam e se enroscavam com grande velocidade, voando de um lado para outro num ritmo tal que os olhos mal podiam acompanhá-las. Algumas dessas criaturas espectrais tinham seis ou nove metros de comprimento, mas era difícil determinar sua circunferência, pois seu contorno era tão nebuloso que parecia desaparecer no ar em volta delas. Essas serpentes de ar eram de um verde muito claro ou cor de fumaça, com algumas linhas mais escuras dentro, o que me dava a impressão de um organismo definido. Uma delas roçou meu próprio rosto, e tive consciência de um contato frio, pegajoso, mas sua composição era tão insubstancial que não pude associá-las a nenhum pensamento de perigo físico, não mais que as belas criaturas em forma de sino que as haviam precedido. Não havia mais solidez em suas estruturas que na espuma flutuante de uma onda quebrada.

"Mas uma experiência mais terrível me estava reservada. Fluindo para baixo de uma grande altura, surgiu uma mancha arroxeada de vapor, pequena assim que a vi, mas aumentando rapidamente à medida que se aproximava de mim, até que pareceu ter centenas de metros quadrados. Embora feita de alguma substância transparente, gelatinosa, tinha ainda assim um contorno muito mais definido e consistência mais sólida do que qualquer coisa que eu tinha visto antes. Havia mais traços, também, de uma organização física, especialmente duas vastas placas, sombrias, circulares dos dois lados, que podiam ser olhos, e uma projeção branca perfeitamente sólida entre elas, tão curva e cruel quanto o bico de um abutre.

"Todo o aspecto desse monstro era tremendo e ameaçador, e ele não cessava de mudar de cor, de um malva muito claro para um roxo escuro, raivoso, tão denso que ele projetou uma sombra quando passou entre meu monoplano e o Sol. Na curva superior de seu enorme corpo havia três grandes projeções que só posso descrever como enormes bolhas, e fiquei convencido ao olhar para elas de que estavam carregadas com algum gás extremamente leve que servia para manter a massa deformada e semissólida flutuando no ar rarefeito. A criatura avançava rapidamente, acompanhando facilmente o monoplano, e por trinta quilômetros ou mais formou minha horrível escolta, pairando sobre mim como uma ave de rapina à espera para se precipitar. Seu método de progressão — feita tão rapidamente que não era fácil acompanhá-la — era lançar uma longa e viscosa serpentina diante de si, a qual por sua vez parecia arrastar para a frente o resto do corpo retorcido. Ela era tão elástica e gelatinosa que nunca tinha a mesma forma por dois minutos sucessivos, no entanto cada mudança a tornava mais ameaçadora e repugnante que a última.

"Eu sabia que ela significava estrago. Cada ímpeto roxo de seu corpo medonho me dizia isso. Os olhos vagos, arregalados, que estavam sempre voltados para mim eram frios e implacáveis em seu ódio viscoso. Mergulhei o nariz de meu monoplano para baixo para escapar dela. Quando o fiz, um longo tentáculo brotou com a rapidez de um relâmpago dessa massa de gordura flutuante, e caiu leve e sinuoso como uma chicotada sobre a parte dianteira de minha máquina. Houve um forte silvo quando ele pousou por um momento sobre o motor quente, e voltou a se sacudir no ar, enquanto o enorme corpo chato se encolhia como se numa dor repentina. Mergulhei para uma descida abrupta, mas novamente um tentáculo caiu sobre o monoplano e foi cortado pela hélice tão facilmente quanto ela poderia ter cortado uma espiral de fumaça. Uma longa, deslizante, pegajosa e serpenteante espiral veio de trás e me agarrou pela cintura, arrastando-me para fora da fuselagem. Investi contra ela, meus dedos afundando na superfície lisa e pegajosa, e por um instante me desvencilhei, somente para ser agarrado pela bota por uma outra espiral, que me deu um puxão e me derrubou quase de costas.

"Quando caí, disparei os dois canos de minha espingarda, embora imaginar que alguma arma humana pudesse paralisar aquela enorme massa fosse, na verdade, como atacar um elefante com uma atiradeira de ervilhas. No entanto mirei melhor do que pensava, porque, com um forte estampido, uma das grandes bolhas nas costas da criatura explodiu com a perfuração do chumbo grosso. Ficou muito claro que minha conjectura estava certa, e que essas vastas e claras vesículas estavam distendidas com um gás de elevação, pois num instante o corpo enorme, em forma de nuvem, virou de lado, retorcendo-se desesperadamente para encontrar seu equilíbrio, enquanto o bico branco se fechava e se abria numa horrível fúria. Mas eu já havia me lançado no planeio mais íngreme que me atrevi a tentar, meu motor ainda ligado, a hélice voadora e a força da gravidade me arremessando para baixo como um aerólito. Muito atrás de mim, vi uma mancha fosca, arroxeada, ficando rapidamente menor e fundindo-se no céu azul atrás de si. Eu estava a salvo da selva mortal do ar exterior.

"Uma vez fora de perigo, estrangulei o motor, porque nada quebra uma máquina mais depressa que funcionar com potência total a partir de determinada altura. Foi um voo planado glorioso, em espiral, a partir de uma altitude de cerca de doze quilômetros — primeiro, até o nível no banco de nuvens prateado, depois para o da nuvem de tempestade abaixo dele, e finalmente, sob a chuva, até a superfície da Terra. Vi o canal de Bristol sob mim quando emergi das nuvens, mas, tendo ainda um pouco de gasolina em meu tanque, avancei trinta quilômetros para o interior antes de me ver encalhado num campo a uns oitocentos metros da aldeia de Ashcombe. Lá consegui três latas de gasolina de um automóvel que passava, e às seis e dez daquela tarde pousei suavemente no prado de minha cidade, Devizes, após uma viagem tal como nenhum mortal sobre a Terra jamais fez e viveu para contar a história. Vi a beleza e vi o horror das alturas — e beleza maior ou horror maior do que esse não está ao alcance do homem.

"E agora meu plano é ir mais uma vez antes de transmitir meus resultados ao mundo. Minha razão para isso é que devo certamente ter algo para mostrar à guisa de prova antes

O horror das alturas

de expor tal história perante meus semelhantes. É verdade que outros logo seguirão e confirmarão o que eu disse, contudo gostaria de ser convincente desde o princípio. Aquelas encantadoras bolhas iridescentes de ar não devem ser difíceis de capturar. Elas perambulam lentamente em seu caminho, e o rápido monoplano poderia interceptar seu curso lento. É muito provável que elas se dissolveriam nas camadas mais pesadas da atmosfera, e que algum montinho de gelatina amorfa poderia ser tudo que eu traria comigo para a Terra. No entanto haveria certamente alguma coisa lá que me permitiria comprovar minha história. Sim, eu irei, mesmo que corra um risco fazendo-o. Esses horrores roxos não parecem ser numerosos. É provável que eu não veja um. Se vir, mergulharei imediatamente. Na pior das hipóteses há sempre a espingarda e meu conhecimento de..."

Aqui uma página do manuscrito está lamentavelmente faltando. Na página seguinte está escrito, numa letra grande, espalhada:

"Treze mil metros. Nunca verei a Terra de novo. Eles estão abaixo de mim, três deles. Que Deus me ajude; é uma morte atroz para morrer!"

Esta é a íntegra da Declaração de Joyce-Armstrong. Nenhum sinal do homem foi visto desde então. Pedaços de seu monoplano despedaçado foram recolhidos nas reservas florestais do sr. Budd-Lushington nas fronteiras de Kent e Sussex, a poucos quilômetros do ponto em que o caderno foi descoberto. Se estiver correta a teoria do infeliz aviador de que essa selva do ar, como ele a chamava, existia somente sobre o sudoeste da Inglaterra, então pareceria que ele tinha fugido dela na velocidade máxima de seu monoplano, mas tinha sido alcançado e devorado por essas horríveis criaturas em algum ponto da atmosfera exterior acima do lugar em que as soturnas relíquias foram encontradas. A imagem daquele monoplano baixando velozmente pelo céu, com os inomináveis terrores voando com igual velocidade sob ele e desconectando-o sempre da Terra enquanto apertavam pouco a pouco o cerco sobre sua vítima, é tal que um homem que valorizasse sua sanidade preferiria não pensar demais sobre ela. Há muitos, como bem sei, que ainda zombam dos fatos que aqui expus, mas mesmo eles devem admitir que Joyce-Armstrong desapareceu, e lhes recomendaria as palavras dele próprio: "Este caderno pode explicar o que estou tentando fazer, e como perdi minha vida ao fazê-lo. Mas nenhuma conversa tola sobre acidentes ou mistérios, POR FAVOR."

fontes
greta pro display
nue gothic round

@novoseculoeditora
nas redes sociais

gruponovoseculo.com.br